四年级乐事多

黄宇　著

北方联合出版传媒（集团）股份有限公司
春风文艺出版社
·沈　阳·

"大熊"金刚，仗着体型大总欺负人
我的同桌——"胶皮娃娃"苏拉
我不是小屁孩，我是米多
看着很凶的校长

我的“跟屁虫”朱奇奇
班长卜一萌，小心点儿，别惹她
甜老师其实是田老师，一笑起来含糖
量很高。最擅长的武器：罚站、写检讨

甜老师让我和卜一萌以提问的方式来决定输赢，每个人出三道题，谁答对的题多就算谁赢。

我可不愿意把时间浪费在没完没了地叠被子上，我还要在不多的两分钟里穿衣服、穿裤子、穿鞋，然后刷牙、洗脸呢。

当我们把千锤百炼秘制的“狗子”从鞋里掏出来后，大家不约而同地做了同一个动作——捂上了鼻子。

我们围着小兔子不停地叫，可是，无论叫哪个名字它都不理我们。看来，它哪个名字也不喜欢。

等到上课铃响的时候，全班已经有二十六名同学和蜥蜴进行了伸舌头比赛。但是遗憾的是，没有一个人能赢得了蜥蜴。

我发现图书角里有一本好玩的书《无限恐怖》，一看这个书名就很刺激。

我可不想让它被苏拉借走！

趁苏拉还没把它带走，我决定把它偷出来。

每天，我和汤姆都玩得很开心。连我的那只叫“一塌糊涂”的宠物狗也喜欢上了汤姆。

到底书桌能不能装下脑袋呢？现在，我的脑海里全都是关于书桌和脑袋的问题，赶也赶不跑。

图书在版编目（CIP）数据

小屁孩日记. 四年级乐事多 / 黄宇著. —沈阳：春风文艺出版社，2012. 5（2014. 11重印）
（七色狐丛书）
ISBN 978-7-5313-4060-7

Ⅰ. ①小… Ⅱ. ①黄… Ⅲ. ①儿童文学—长篇小说—中国—当代 Ⅳ. ①I287.45

中国版本图书馆CIP数据核字（2011）第167615号

北方联合出版传媒（集团）股份有限公司
春风文艺出版社出版发行
http://www.chinachunfeng.net
（沈阳市和平区十一纬路25号 邮编：110003 狐狸姐姐热线：024-23284285）
沈阳市奇兴彩色广告印刷有限公司印刷

责任编辑	朱立红(狐狸姐姐 azhu@vip.sina.com)	责任校对	张 斌
封面设计	杨思帆	幅面尺寸	180mm×210mm
字 数	100千字	印 张	6.25
版 次	2012年5月第1版	印 次	2014年11月第15次
书 号	ISBN 978-7-5313-4060-7	定 价	18.00元

目录

开 学 日

9月1日　星期四　白云懒洋洋

今天是开学第一天，我背着书包进学校的时候，看到很多一年级的小豆包，他们屁颠屁颠地跑着，大书包一下一下拍打着屁股。我突然觉得时间过得真快，在课堂上尿裤子、上课时举手问老师为什么还不下课、别人打架的时候一边捂眼睛一边喊加油……这一切好像就发生在昨天。可是现在，我已经长大，是四年级的“大学生”了。

想到这些，我把胸膛挺得高高的，大步往前走，把那些小豆包远远地甩在身后。

走进教室，我看到面前有一只“熊”，不用说，肯定是金刚。我叫着金刚的名字跑过去，金刚看到我，也跑过来。我们亲密地抱在一起，如同一对真正的好朋友。

每个同学都像吃了发酵粉，变得比暑假前更高、更壮了。王天天例外，他像个站不起来的小豆芽，细细的、小小的。大家见面的时候又抱又叫，像好多年没见似的。我们都大声地讲着自己暑假的经历，教室里炸开了锅。想让对方听见，得使劲儿地喊。

我和金刚一边讲一边笑。

要坐下的时候，金刚突然说他的凳子坏了，要和我的换一换。

凭什么呀？我可不想坐坏凳子。

于是，我们两个人动手打了起来。

小豆芽王天天又变回了“告状精”，乐颠颠地跑去找甜老师。

甜老师来了，见我们仍撕扯在一起，就揪着我们两个人的耳朵命令住手。这一点儿也不符合裁判规则，她应该数数才对。

为了惩罚我们，甜老师命令我们帮她去办公室搬新书。

我喜欢新书的味道，尤其是一下子看到那么多新书摆在面前。我兴奋得冲过去，在书上面打了个滚儿，鼻子使劲儿地闻啊闻！

金刚也一边闻一边说：“书的味道像巧克力，要是能像巧克力一样好吃就好了。”

要把这么一大堆书全都搬进教室，得来来回回跑好几趟。可是，我们喜欢搬书。我们一趟一趟地来回搬着，一直搬得满头大汗。我看到朱奇奇坐在座位上羡慕得眼睛都蓝了。他肯定后悔刚才没和我们一起打架。

最后，只剩下两本书了，我们扑过去一起抢，谁都想再“搬”一次。抢的过程中，金刚的大脚踩住一本书不放，我抢另一本书的时候把书皮撕坏了。

等我们终于打累了，才发现我的衣服袖子已经被扯破了，金刚的裤子也露屁股了。为了公平起见，我们一人拿着一本书走进教室。

金刚手里的书正好挡住屁股。

甜老师接过这两本“饱经磨难”的书时，嘴张得老大，都能吞进一个鸡蛋了。她问我们是搬书还是抢书去了，怎么这么狼狈。这时候，我们只能低着头不说话，因为如果招供，就等于错上加错，惩罚也将继续下去。

甜老师把撕破书皮的书“奖励”给了我。而那本被盖上了金刚大脚印的书，当然就归金刚所有了。多亏那本书没给我，要不每次我闻书的味道的时候，肯定会先闻到金刚的臭脚丫子味儿。

我们累了老半天，只换回来两本“破书”，这可真是太不公平了！

现在，我们每个人的书包都装

得鼓鼓的，像藏着一大堆宝贝。我不时地把鼻子钻进书包里，使劲儿地闻一闻。

苏拉笑话我："你属狗呀?"

她一点儿都不懂，书的味道其实比巧克力的味道还好闻呢。

等发完了书，我们开始打扫教室。

我们都已经上四年级了，家长不再帮忙打扫教室了，我们要自己干。卜一萌像个猫头鹰似的，一边干活一边监视着我们。要想偷偷玩一会儿，除非你会分身术。

我和朱奇奇被分配到第二组擦玻璃。每个人擦五块玻璃。

起初，我老老实实地用抹布擦玻璃，可是擦了一会儿，发现窗户上面的玻璃太高，够不到。于是，我想到一个好主意，用拖布来擦玻璃。我只为这个办法得意了一小会儿，就发现拖布好像太脏了，不但没擦干净玻璃，反而让它变得更脏了。

恰巧这时被卜一萌发现了。她一把抢过拖布，气呼呼地说我不干活故意捣乱，她还说要把我记下来。为了不上黑名单，我只好同意多擦两块玻璃作为交换。

现在我要擦七块玻璃了。真没意思!

已经整整一个暑假没人管理玻璃了，所以玻璃特别脏。我费了半天力气，连一块都没擦净呢。照这样下去，别人都干完了我也回不了家呀。

我得想个办法。

我和朱奇奇打赌，赌走进教室的是男的还是女的。谁输了就得帮对方擦一块玻璃。

我说是男生，朱奇奇说是女生，结果进来的是苏拉。我输了。

我现在要擦八块玻璃了。

十分钟之后，朱奇奇一块玻璃都不用擦了，因为我输了五次。现在，我要擦十二块玻璃。朱奇奇在我旁边很自在地玩悠悠球，而我却像老黄牛一样勤勤恳恳地劳动。唉，真是没有天理啊！

现在，我连一点儿溜号的机会也没有。因为卜一萌已经把自己的活儿都干完了，正站在我面前，眼睛一眨不眨地盯着我。

“这里，这里有个泥点子。”

“那儿，那里有个手印。”

“这块玻璃上还有一条灰道呢！”

“不行！再擦一遍！玻璃不够亮。”

…………

我真怀疑卜一萌的眼睛是放大镜，竟然连一点点灰道道都不放过。

终于把该死的十二块玻璃都擦干净了，我也快累死了。

教室终于打扫完了，我的玻璃擦得很干净，干净得像没有玻璃一样。我很得意，虽然感觉自己的手臂麻麻的，好像一点儿知觉都没有了。

这时候，甜老师急急忙忙地走进来，告诉大家："我们今天要换教室。"

唉，白忙活了！我一屁股坐在地上，恨不得大哭一场。

竞选班长

9月5日　星期一　天空蓝得像大海

开学后不久，班里又开始了一年一度的班干部选举。

我知道班长肯定没我的份儿，体委也没份儿，小组长也轮不到我，可是，这一点儿也不影响我参加选举。

班干部选举的现场出奇的安静，气氛有点儿紧张，同学们都很谦虚地不说话。甜老师启发、鼓励同学们："没关系，说出你的理想，不要怕别人笑话，也不会有人笑话。"

可是现场仍然只有吸气、呼气的声音。

这时候，我像竹子一样把手臂一节一节地拔高。

"米多，你说！"甜老师很高兴我有勇气参加竞选。

"竞选什么职务都可以吗？"我小心翼翼地问道。

“当然！”甜老师很确定地回答。

“那我……我想……竞选班主任。”我不好意思地说道。

甜老师愣了老半天，然后大笑起来，同学们也跟着一起笑。

不是说不能笑话别人吗？怎么说话不算数呢！

当然，我不会竞选上班主任的，那样，甜老师该怎么办呢？难道坐在我的位置听米多老师在前面讲课吗？那成什么体统？

最后，选举的结果一点儿悬念也没有，班长还是卜一萌。

“有不同意卜一萌当班长的吗？”甜老师说要征集大家的意见。

我用左脚使劲儿地踢着右脚，踢得咚咚响。

甜老师望向我：“米多有什么意见吗？”

“当然。”我像个弹簧似的蹦了起来，“班长肯定要比我们知道得多吧？”

我冲朱奇奇挤了挤眼睛：“谁让她是班长呢？”

“对啊，对啊！”朱奇奇兴奋地敲着桌子，唯恐没有事情发生，唯恐没有热闹可看。

这下子整个教室都像葱花炸锅一样沸腾起来。

“你说应该怎么办呢？”甜老师微微皱了皱眉头。

“打擂，打擂啊！”我挥舞着拳头，活像一头发疯的小牛犊，“就像绅士一样公平决斗！”

“决斗？”甜老师突然笑了，“好吧，那就公平决斗。卜一萌同意吗？”

“和他？”卜一萌撇撇嘴。

“我怎么了？”我咬牙切齿，恨不得一口吞掉卜一萌。哼，敢小瞧我！

“如果没有反对意见，那我们现在就开始准备‘决斗’吧！”甜老师让我和卜一萌以提问的方式来决定输赢，每个人出三道题，谁答对的题多谁就算赢。

“但是不能考数学，”我急忙补充道，“尤其是小数点乘法！”

“好吧，除了数学，其他问题范围不限。”甜老师同意了。

卜一萌先开始提问。

“你就背一遍李白的诗《黄鹤楼送孟浩然》吧。”

“黄鹤楼送……”我挠着脑袋，好像很熟悉，课文好像早就学过，但是……

“十、九、八……”甜老师已经开始倒计时了。

“故人西辞黄鹤楼，烟花三月下扬州。停车坐爱枫林晚，疑是银河落九天……”

我刚背完，同学们就哄的一声笑翻了，连甜老师都忍不住笑起来。

“这是哪儿跟哪儿呀？一定是米多学过的东西太多了，竟然能把三首诗连在一块儿背，而且还很押韵。但是，”甜老师的脸色严肃起来，而且眉头越皱越紧，“这可是我们前几天刚学过的课文，怎么这么快就忘得一干二净？回家后罚写二十遍！”

我有点儿泄气，不过，这没什么，不是才刚刚开始吗？想到这里，我又像充足了气的皮球一样，一下子神气起来。

“该我了吧？”我叉着腰，昂着头，“一个不出头，两个不出头，不是不出头，就是不出头。好了，你猜猜是什么？”

“什么一大堆不出头不出头的，这是什么破题？”卜一萌生气地跺着脚。

“答不出来就认输，干吗怨题破？”我神气活现的。

“十、九、八、七……”朱奇奇倒计时恨不得从“十”一下子蹦到“一”。

卜一萌想了老半天，终于还是认输了。

“哧，真笨，连这都不知道！”我得意得很快忘记了自己刚才的窘迫，“是‘林’字呗！”

“林?”甜老师惊奇地眨着眼睛，“为什么是‘林’字啊?”

我看到连甜老师都不知道，差点儿乐昏过去：“一个‘不’出头，不就是‘木’吗？两个‘不’出头，当然就是‘林’啦！”

“啊，万岁！一比一，平！”朱奇奇大呼小叫着，恨不得把我抱起来亲一口。

卜一萌朝天翻着眼睛，气得鼓鼓的。她想了老半天，然后问我：“你说说看，《罗密欧与朱丽叶》的作者是谁呢?”

朱奇奇撅着嘴叫唤道：“什么‘萝卜头’和‘朱古丽’的，那是什么东西?”

卜一萌得意地望着我，等待我投降。

我使劲儿地挠着耳朵，然后皱着眉头说："像我这么大的孩子，是从来不看莎士比亚写的东西的。"

这下子卜一萌愣住了，甜老师也好像不相信似的望着我。他们都不相信我知道《罗密欧与朱丽叶》是莎士比亚的作品。其实，只有我自己知道，这要感谢"一塌糊涂"。

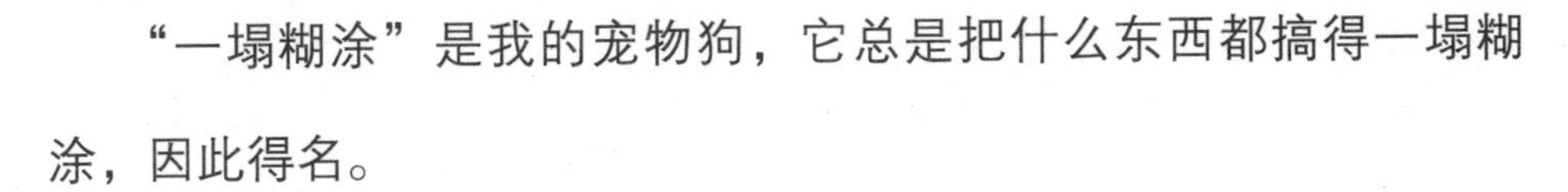

"一塌糊涂"是我的宠物狗，它总是把什么东西都搞得一塌糊涂，因此得名。

有一次，它把爸爸的书啃得乱七八糟，还踩在地上，撒了一泡尿。结果爸爸把我狠狠地教训了一顿，怪我没管教好"一塌糊涂"，说什么"狗不教，米多之过"！逼着我把"一塌糊涂"撕烂的书一页一页地粘起来。我粘了整整一下午可恶的书，就是这个什么"萝卜

头”和“朱古丽”的东西。

真是谢天谢地，尤其要谢谢“一塌糊涂”！我心里无比得意。

紧接着该我出题了，我问：“冰岛的首都是什么地方?”

“雷克雅未克。”

卜一萌不假思索的回答着实把我吓了一跳。

“哦，我差点儿忘了，卜一萌在假期举行的世界地理知识竞赛中刚刚获得第一名。”甜老师微笑着在一旁解释道。

我心里后悔极了，怎么偏偏出什么地理题?

现在仍然是一比一平。

卜一萌的第三题是：唐朝的前面是哪一个朝代。

我的历史超级烂，当然这道题不可能答对了。

最后一道题对于我可是至关重要。我转了老半天的眼珠子，终于慢条斯理地说道：“有一种动物很特别，你肯定不知道它的名字!”

“笑话!”卜一萌不屑一顾地说，“那动物是什么样的?”

“你听着，”我说，“那家伙有三个脑袋，六只手，十八只脚，五条尾巴，一百只眼睛，外加一个碗口大的肚脐眼。它长着翅膀不会飞，走起路来却快如风，你说它叫什么名字?”

卜一萌冥思苦想，可是怎么也想不出来：“世界上有这么怪的动物吗?”

“连这个你也不知道?”我笑着公布答案，“书上不是写着嘛，它是个妖怪。”

甜老师让所有同学对我和卜一萌的表现举手表决，只有两个人举手同意我，一个是朱奇奇，一个是我自己。

这次“决斗”仍然以我的失败而告终。

放学回家的时候，我懊悔极了，不是因为没有当上班长，是因为那该死的二十遍唐诗。

二十遍啊!

我觉得自己得到的太多了，比如惩罚。它总是在我最高兴的时候，突然降临到我身上。这个世界真是太不公平了，同样回答不出来问题，卜一萌为什么就不该把“妖怪”两个字抄写一百遍呢?

看来，今天晚上的动画片又要泡汤了!

军 训

9月13日　星期一　风儿轻轻地吹

这一周，我们要在基地开始为期一周的军训。每个人一提到“军训”两个字都很兴奋，因为我们就要穿上军训服，和解放军一样开始训练了。

军训的第一天，一个长得很黑很黑的教官走进来，很严肃地告诉我们：“我就是你们的教官，从现在开始，你们要无条件地执行我的每一项命令！”

我们嘻嘻哈哈的，笑他长得像包公。

“你！还有你！出去绕操场跑五圈！”教官的手指向我和金刚。

在大太阳底下跑步真不是件好玩儿的事情。可是，教官说了，如果不认真跑就继续罚。

没办法，只好跑啊跑啊，直到跑得我们两个人浑身冒汗、眼冒金星的时候，五圈才跑完。多亏这个黑脸教官不是我们的班主任，要不非得被他折磨死。现在，我特别想念甜老师。

军训的第一项训练竟然是叠被子。

我从来不知道被子原来还要被叠起来，真奇怪。为什么教官叠完的被子不像被子，像是豆腐块呢，还是用刀削得整整齐齐的豆腐块！真是神奇。

看着容易，可是换成我们叠时，被子就变得软塌塌的，怎么摆弄也摆弄不出来豆腐块的样子。而且，我可不愿意把时间浪费在没完没了地叠被子这件事上，因为我还要在不多的两分钟里穿衣服、穿裤子、穿鞋，然后刷牙、洗脸呢。

所以，第二天一大早，我就把被子堆在了床上。

教官气愤地问大家："谁没叠被子?"

我此时正在和裤子较劲，无论如何腿也伸不进裤腿里。

我嘟嘟囔囔地说："反正晚上还要睡觉，还要用被子，为什么非得把它叠起来不可呢?"

教官气得脸色铁青。

而我呢，终于把腿伸进裤腿里了，却听到大家的哄堂大笑。我把衣服当成裤子了！

唉，军训真是累人啊！不让人好好儿吃饭，不让人好好儿睡觉，不让人好好儿穿衣服。

中午吃饭的时候，黑脸教官留我一个人在外面站岗。我不明白，难道吃饭的时候还需要提防敌人来进攻吗？可是教官却说，那没准儿，真正打仗的时候，敌人可不管你是不是正在吃饭。

后来等到别的同学来替换我站岗的时候，同学们都已经吃完了。

我像箭一样射进食堂，却见教官正在把最后一粒饭扒拉进嘴里。他说："是米多吧？你中午不用吃饭了，因为你早上已经吃完了。"

没办法，我只好饿着肚子和同学们继续练立正。

看来叠被子是躲不过去了。

可我还是不想自己叠，我花五毛钱，雇金刚给我叠被子。

第二天集合的时候，黑脸教官又来检查被子。他看到我的被子的时候很吃惊，因为我的被子规规矩矩的，整齐极了。

他背着手，在屋子里走来走去。我的心跳得飞快，生怕被教官看出破绽。

可是，没等到中午就露馅了，因为金刚和我打起来了。早上起来，我算了一笔账，如果每天付给金刚五毛钱，军训一星期，就要拿出三块五毛钱，都够买一袋巧克力了！于是我和金刚商量，能不能降低叠被子的费用，由每天五毛改为每天两毛。

金刚不同意。

我对金刚的不同意也表示不同意。

就这样，我们两个人打了起来。

黑脸教官很快就知道这件事了。我和金刚都被罚绕着操场跑十圈。

看来，雇人叠被子的主意又泡汤了。

不过，这难不倒聪明的我，我又想出了一个主意。

第二天早上，教官来检查宿舍。真奇怪，我的被子简直成了模范，既整齐又干净。真好像豆腐块儿似的。

教官乐了："看来适当的惩罚还是有用的。"

"呵呵。"我乐得半天都合不拢嘴。

第三天早上，我的被子还是模范。教官又把我表扬了一番。

这回我可没有上次那么高兴，我眯缝着眼睛，无精打采的。恰巧这天的训练内容是在操场上走正步。

“立正，向右看齐！”

我的脑袋缓缓挪向右边。

“向前看！”

我的脑袋艰难地转向前面，为什么它沉重得像一个大水桶？

“稍息！”

我这时候已经听不见了。

教官又重复了一下口令：“稍息！”

我仍然一动不动，像一棵歪脖子树。因为我已经睡着了。

为了保持“模范被子”的形象，可怜的我，让被子整整齐齐地“睡”在床上，而我在床边，给被子站了两夜的岗！

超级无敌“大狗宝”

10月6日　星期四　秋风呼呼地吹，叶子刷刷地落

我们班的金刚有个超级无敌“大狗宝”，那可是我们班男生做梦都想得到的宝物。

什么？你问什么叫超级无敌“大狗宝”？连这个你都不知道，你可真是OUT啦！

再给你提示一下，秋天的时候一地的落叶……

对了，勒狗子！这可是我们最近流行的新名词。前几天甜老师讲到第二单元的一篇课文《过去的游戏真有趣》时，教我们一些她小时候玩的游戏，比如九连环、抖空竹。

甜老师问我们：“你们平时最喜欢玩什么游戏？”

“悠悠球、魔方、赛尔号、摩尔庄园、大玩国、植物大战僵

尸……太多了！”朱奇奇抢着说。

“还有奥比岛和盒子世界。”苏拉补充道。这些是小女生玩儿的，我们男生可不喜欢。

从甜老师嘴里，我们第一次听到“勒狗子”这个词，真是太新鲜了！这不，我们全班男生立刻都迷上了“勒狗子”。每天放学后，就看到一大群男生在操场上撅着屁股寻找、挑选、争抢着地面上的杨树叶子，比赛看谁手中的叶梗结实。

要说勒狗子这事学问可大着呢！你别以为就是捡叶子，然后用叶子的茎相互勒，看谁的一直不断。哪儿有那么简单！

勒狗子想要赢，第一步要挑选大片的杨树叶子，叶梗又粗又结实的那种，这样的才有可能成为超级大狗宝。

想起这事我就窝火，那天捡叶子的时候，明明是我先看到的，可金刚仗着自己体型大、腿长，三步两步就跑到我前面，抢到了那片叶子。看着那么棒的狗子落在他手里，我真是后悔啊，平时要是不那么懒，加强点儿体育锻炼，哪至于那么好的宝贝让他给抢了去呢！

果不其然，这根大狗子后来成了我们班的常胜将军，打败了所有男生的狗子。金刚那小子仗着这个大狗宝张狂得不行，逢人就显摆。

我和朱奇奇决心灭一灭这小子的威风。

一放学我们就到操场上的大树下面捡叶子。功夫不负有心人，果然，我们找到好几根能做成大狗宝的好叶子。

哼，看金刚还能张狂几天。

想要狗子成为超级无敌大狗宝，光靠叶梗粗还不行，还要进行第二步工序，需要用秘制的方法来处理一下，让叶梗更有韧性。

一开始，我们用的是日晒法，就是把叶梗上的水分晒干，让老筋变得更加强韧。但试过了几次，发现只晒是不行的，还要多一个步骤，那就是汗沤法。这可是朱奇奇从他老爸那里得来的“祖传秘

方”。据说，他老爸小时候就是用这种方法打遍天下无敌手的。

得了这样的法宝我们肯定能打败金刚！

我和朱奇奇特地给金刚写了封挑战书，还在全班同学面前读给他听。

金刚满脸的不屑，手里拿着他的超级大狗宝一边挥着一边说：“我倒要看看你们俩到底有什么能耐！”

决战的时候到了！

放学的时候，我们在学校院墙旁的树林里摆开擂台，支持金刚的站在左边，支持我和朱奇奇的站在右边。虽然支持金刚的人数明显比支持我们的多。当我们把千锤百炼的

“狗子”从鞋里掏出来的时候，大家不约而同地做了同一个动作——捂上了鼻子。连我们班里号称“打不死的小强”的刘天天都大喊着：“啊，怎么这么臭啊！比我的脚还臭啊！”

我和朱奇奇神秘地对视了一下：“别管臭不臭，咱们比一比再说！”

要说这几天，我们为了秘制超级无敌大狗宝可是下了不少工夫。

我们偷偷把大狗子放在鞋里，沤了好几天。为了达到最好的效果，朱奇奇还提议把狗子放在我鞋里两天放在他鞋里两天。这几天，我们就脚踩着狗子跑步、踢球。总之，只要是能多出汗的运动，一个都不放过。

经过我们精心地沤制，狗子由最初黄色的柱状叶梗，变成了扁扁的、深红色、韧性十足的“大狗宝”。

金刚满不在乎地说：“比就比，别以为放点儿臭气就能把我吓怕了，咱比的是狗子，又不是臭脚！哼，放马过来吧！”

金刚手拿着他的超级大狗宝做出一副迎战的架势，我也拿着狗子和朱奇奇信心满满地凑了过去。

两根狗子搭在一起，十字交叉，像拔河一样用力拉扯。

啪！

金刚的超级无敌大狗宝折了！他心痛得眼泪差点儿没掉下来！

朱奇奇乐得直蹦高儿，拿过狗子就开亲！

王天天捏着鼻子直喊："喂，你不怕臭啊！"

管他呢，反正我们赢了！

这一回，我们的狗子才是真正超级无敌大狗宝！

上课的时候，我把"大狗宝"宝贝似的收在文具盒里，熏得同桌苏拉恨不得脑袋钻进课桌里。周围好几个女生找甜老师告状，说我们放毒气污染环境。

女生就是这么娇气，臭点儿怕啥，臭豆腐还臭呢，还不是很好吃！

不过，没过多久，苏拉就再没因为狗宝的事告过状，因为全班的男同学都学会了汗沤秘制狗宝大法，不仅仅放在自己的鞋里沤，还有人想出把自己的狗子放在我们班脚臭得出名的刘坚强鞋里，说是可以增加威力。所以教室里整天都弥漫着一股子臭脚丫子味儿。

甜老师每次上课的时候都要开着窗户，她好像很后悔教会我们玩"勒狗子"的游戏。不过没多久，这个游戏就没人玩了，大家的兴趣很难停留在一件事情上。

我们的小兔子

10月11日　星期二　太阳也有不高兴的时候

早上，金刚进教室的时候鬼鬼祟祟的。他把书包从后面挪到前面，像捧着炸药包似的抱在怀里。书包看起来比平时大了很多，鼓鼓的。

到底里面藏着什么东西呢？零食？鸡大腿？变形金刚？……早自习的时候，我拼命地把脑袋往金刚那里探，可是距离太远，看不清楚。

金刚时不时地低头往书桌里面看，不知道在鼓捣什么。

终于盼到下课了，我飞一般地冲到金刚的书桌前。金刚捂住书桌，像捂着宝贝似的不让我看。趁我和金刚纠缠在一起的时候，朱奇奇飞快地把手伸进书桌。

“啊——”朱奇奇惨叫一声，赶紧把手缩回来，躲得远远的，“有怪物，还长着毛呢！”

“谁说是怪物！”金刚气呼呼地把“怪物”从书桌里掏出来。

“哇——”在场的人都禁不住叫出声来。

原来，“怪物”是一只全身雪白的小兔子！

“老师说不许带宠物到学校！”“告状精”王天天肯定又准备去告状了。

“它不是宠物，它是一只‘流氓兔’，是我在马路上捡的。”金刚生气地指着王天天，“你要是去告状，我就把你的大头打扁！”

王天天顿时哭丧着脸，一副要死不活的样子。

“多可爱的小兔子呀！我可以摸一下吗？就摸一小下。”苏拉央求着。

金刚把兔子放在桌子上，苏拉轻轻地用手抚摸着小兔子。小兔子好像很喜欢被抚摸，它眯着眼睛，很享受的样子。

好多女生都围过来争着抚摸小兔子，连平时凶巴巴的卜一萌好像也变温柔了。

可是，一会儿就上课了，如果被老师发现了，肯定会被没收的。

“我们偷偷养它，不让老师知道，行吗?”苏拉向卜一萌求助。

卜一萌犹豫了。

“如果把它扔到外面，它会饿死的!”朱奇奇补充道。

卜一萌看了看大家，又看了看小兔子，轻轻地点了点头。

第一节是甜老师的语文课。

不知道为什么，我们的头总是不由自主地往金刚那里转，好不容易眼睛看黑板了，不到几秒钟，又转了过去。而且，金刚的头都快钻进书桌里了。

“咕咚咚——”金刚的书桌晃了几晃。

甜老师停下来，走向金刚。

“老师老师，刚才讲的那段您能再讲一遍吗? 我没听懂……”我急忙站起来，结结巴巴地说道。希望这样会把甜老师的注意力吸引过来。

甜老师犹豫了一下，又走回讲台，开始讲刚才的那段课文。

“咕咚咚——”金刚的书桌又晃了几下。

是小兔子饿了吗? 还是一个人闷在黑咕隆咚的书桌里觉得没意思呢? 不过，这回谁也阻止不了甜老师了，她径直朝金刚走过去。

唉，露馅了！

甜老师看到小兔子的时候，嘴张得大大的，很吃惊的样子。

“老师，求求你，让我们养着它吧。”金刚哀求道。

“求求你了老师……”我们一起哀求着。

甜老师皱起了眉头：“要是被学校发现了……”

“我们会把它藏得好好儿的！”我们纷纷保证。

“养兔子会影响你们学习的……”甜老师还是下不了决心。

“不会的，我们肯定好好学习，我保证这次考试一定及格！”我举双手发誓。

“对呀对呀，养兔子会锻炼我们的观察能力，会帮助我们写好作文。”卜一萌补充道。

“它已经无家可归了……”苏拉就快要哭出来了。

最后，甜老师终于同意我们暂时饲养小兔子，但是有条件，第一，全班这次统考必须排在全年级前三名（一共八个班，我们班以前一直排在第七名）；第二，大家轮流照顾小兔子的饮食起居，每个同学必须完成一篇“兔子日志”；第三，做好保密工作，如果发生泄密事件，后果自负。

万岁！我们终于可以养小兔子了！

它已经在教室里和我们上到第四节课了，可是，它还没有一个好听的名字呢。

下课的时候，我们围着它准备给它取名字。

“叫大肥吧！”金刚说，“我爸说名字是一种希望，看它现在这么瘦，叫大肥最适合，叫着叫着就肥了。”

“不好听！”苏拉强烈抗议，“还是叫小白吧。”

“叫淘淘。”朱奇奇说，“多顺耳的名字呀。”

“叫小王子。”王天天说，“就像我一样。”

“还是叫刘小坚强好。”刘坚强说。

我还没想出名字呢，金刚和刘坚强就已经打起来了。太不理智了！

三分钟之后，王天天带着甜老师来到教室。可是，现在已经不是金刚和刘坚强的战斗了，因为我和朱奇奇也加入了。这都怪金刚，他一边把刘坚强压在屁股底下，一边说叫大肥比叫米多都好听！

竟然把“大肥”这个猪名字和我的名字相提并论，我怎么能容忍呢？

至于朱奇奇，他是因为刘坚强挣扎的时候踢了他一脚，却没和他说对不起。一个人能一边打架一边说对不起吗？这还真是个问题。

反正，就在我们纠缠的时候，甜老师来了。

现在，我们老老实实地靠墙站着，听甜老师教训。

“如果这样的事情发生第二次，我就把小兔子没收！”

甜老师声音不大，可是我们听起来却像晴天霹雳。如果因为我们几个人没了小兔子，我们肯定会成为千古罪人的。我偷偷瞄了一眼卜一萌，她的目光恶狠狠的，恨不得把我们吃掉似的。

“对不起小兔子！我们再也不打架了！”我连忙跟小兔子道歉。

“我也是，对不起小兔子！”金刚、刘坚强、朱奇奇也紧跟着道歉。

可是，甜老师的表情怪怪的，好像拼命要憋住笑似的。

我们四个人被罚抄写课文，不过，只要小兔子还在，就算抄写一百遍也没问题。

“大肥！”

“小白！”

“淘淘！”

“小王子！”

“刘小坚强！”

我们围着小兔子不停地叫，可是，无论叫哪个名字它都不理我们。看来，它哪个名字也不喜欢。我们白打了一架。

兔子名字叫“汪汪”

11月14日　星期一　天上有个动物园

兔子已经秘密地生活在我们教室一个月了。这其间，它终于有了一个属于自己的名字——“汪汪”。

这是由我们抽签决定的。每个同学都想了一个名字，然后写在纸条上放进盒子里，甜老师负责抽签，抽到哪个名字就叫哪个名字。

甜老师抽到“汪汪”的时候愣了好一会儿。

真奇怪，不知道哪个人想出这么个奇怪的名字。汪汪应该是一只狗的名字，不应该属于一只兔子。它就像一件不合适的衣服，穿在了兔子的身上。可是，既然已经抽出来了，就叫“汪汪”吧。

“汪汪”已经从原来的一只小兔子长成大兔子了。它很能吃，一根胡萝卜咔嚓咔嚓一会儿就吃得干干净净。还吃白菜、西瓜皮、黄瓜、卷心菜……

每天吃中午饭时，我们都把菜里的胡萝卜挑出来，给它吃。

它很高兴。我们也很高兴。

“汪汪”把金刚的书桌嗑出了一个洞。

兔子喜欢吃木头吗？朱奇奇想折一根树枝送给“汪汪”吃。

甜老师说“汪汪”在磨牙。因为它的门牙一直不停地长，如果不磨一磨，就会长到嘴唇外面，那样，“汪汪”就吃不了东西了，就会饿死。怪不得兔子不用刷牙呢，原来，它就算生了虫牙也没关系，会被磨掉的。

希望我的门牙也会不停地长下去，我会假装自己是一个吸血鬼。

“不能再让‘汪汪’住在书桌里了！甜老师说，一是因为‘汪汪’长大了，书桌对它来说太小了；二是因为‘汪汪’会把金刚的书桌吃掉；三是‘汪汪’的大小便都拉在书桌里，太污染环境。”

“那‘汪汪’该住在哪里呢？”金刚虽然也忍受不了“汪汪”的大小便，可是，更担心它会被甜老师“开除”。

“我们给‘汪汪’建个新家吧！”苏拉说。

对，建新家。可是新家建在哪里呢？

讲台旁边?

不行，老师讲课的时候会踩到“汪汪”的。想一想，甜老师的高跟鞋一下子钉住“汪汪”的尾巴，真可怕!

教室后面?

不行，教室后面是图书角，“汪汪”肯定会把那里的书统统吃掉，连标点符号都不吐。

“老师，我家有个笼子，我们把‘汪汪’放进笼子里吧。”王天天举手说。

此时此刻，我觉得王天天是那么可爱，朝天鼻子看起来是那么顺眼，无论怎么看王天天都是个既可爱又帅气的男孩呢。从前，我怎么会认为他是“告状精”、“马屁精”呢?

“汪汪”终于有了新家，紧挨着图书角，外面用一块木板挡上。

朱奇奇在木板上糊了一张白纸，卜一萌写了“汪汪的家”几个字。苏拉还在上面画了很多漂亮的图画。我把恐龙、变形金刚的小粘贴都贴在了上面。

汪汪的家漂亮极了。

有时候，我们也会趁放学操场上没人的时候，带着“汪汪”到外面遛遛。想想，总在笼子里面待着，肯定会憋出病来的。

“汪汪”最喜欢外面的青草了，它一蹦一跳地吃青草，伸懒腰。

这个月的统考成绩出来了，我们班排在第二名。

甜老师说，这要感谢“汪汪”。而且，我们的“兔子日志”已经写了厚厚的一大本。封面上是苏拉画的“汪汪”的素描，很像呢。甜老师夸奖我们写得很好，都够发表的水平了。

最重要的是，“汪汪”一直是我们班的秘密。我们为了这样一个秘密，每天都很激动。妈妈很奇怪我一睁开眼睛就要求去上学，更奇怪的是统考成绩我达到了67分。而且，甜老师也在努力帮我们保守这个“秘密”。

直到那天上台领奖。

学校发给统考年级前三名奖状。四年了，我们班还从来没领过这个奖呢。所以，大家都很激动。本来应该是班长卜一萌上台领奖，可是，碰巧她那天肚子疼请假了。

甜老师说，这个奖每个同学都有功劳，还特殊表扬了我。因为我进步最大，从不及格到及格，是一个飞跃。所以，甜老师说这个奖就由我来代领。

我真是太激动了，简直不敢相信自己的耳朵！从小到大，我从来没有因为受表扬而站在领操台上。我还没来得及想好走上台的时候到底是先迈左脚还是右脚，时间已经到了。因为每次颁奖都是在间操的时间。

当念到四年一班的时候，我们全班同学都兴奋得使劲儿地鼓掌。我在大家的注视中走上领操台，紧张得差点儿摔倒。

我从校长手里接过奖状。

如果这时候就这样下去，下面什么事情都不会发生。可是，校长偏偏让我讲几句话。之前我可什么都没准备，说什么呢?

我结结巴巴地说："谢谢大家！谢谢大家！谢谢'汪汪'……自

从有了‘汪汪’，我们才努力学习……其实及格真的不太难……”

等我晕乎乎走下台的时候，我发现全班里同学的目光都是恶狠狠的，好像要把我吃掉似的。我猛然发现，刚才我好像说走了嘴……

“都怪你！你胡说什么呀！”金刚气冲冲地指责我。

“你属癞蛤蟆的呀！张着大嘴说胡话！”连好哥们儿朱奇奇也那么不客气。

现在，我知道错了，我怎么会在大庭广众之下把“汪汪”出卖了呢？我肯定是被兴奋冲昏了头。可是，现在后悔也来不及了。

校长紧接着冲进我们班，在教室后面捉到了“汪汪”。

“怎么是只兔子？”校长好像很迷惑，“那只叫‘汪汪’的狗呢？”

“只有兔子，没有狗。”甜老师可怜巴巴地回答。

“你说，”校长指着我，“你明明说是‘汪汪’嘛！”

原来，校长把“汪汪”当做一只狗了。可是，无论是兔子还是狗，校长都准备没收了。

甜老师一个劲儿地向校长求情。可是校长黑着脸说：“你身为老师，明明知道学校里不可以养宠物，还包庇、纵容学生，你首先要检讨！”

甜老师像个小女生似的，脸涨得通红，声音低低的：“它不是宠物！”

“那它是什么?”校长转过身来面对着甜老师。

“它是我们大家的朋友。”甜老师勇敢地说，“‘汪汪’鼓励大家一起努力，才取得了年级第二名的成绩。还有大家的作文，进步得也很快！‘汪汪’还培养了孩子们的爱心……”

我们很佩服地望着平日里看起来胆子很小的甜老师，禁不住给她鼓起掌来。

“这里是学校，不是动物园！有了传染病谁负责?”校长的气并没有消。

“也许，我们可以把它带回家去养……”甜老师不太确定地说。

“反正不许在学校里养！”

校长气呼呼地走了。他限令我们放学后必须把“汪汪”带离学校。

这真是个难题。我们商量是不是可以轮流把“汪汪”带回家，可是，这首先要征得家长的同意。

“不可能！我妈坚决不许我养动物。”金刚一个劲儿地摇头。

“我妈说在我和动物之间，她只能选择养一个。”朱奇奇也在叹气。

最后，王天天决定收养“汪汪”。因为他的奶奶在乡下，“汪汪”会被送到那里。

和“汪汪”分开的时候女生们都哭了，不知道什么时候还能再见到“汪汪”。希望它在乡下过得快乐。

一个星期后，校长的大嗓门又在四年二班响了起来：“这里是学校，不是动物园……”

四年二班的同学养了一只大蜥蜴。

流动的“笑脸”

12月5日　星期一　天阴得快哭了

早上起床的时候，闹钟已经指向七点十分了。糟糕，还有二十分钟！

我飞快地穿衣服、刷牙、洗脸、吃早餐……等爸爸送我到学校的时候，操场上空荡荡的，一个同学也没有。

冲啊！我飞快地往前跑，书包在我的背上跳来跳去。就在上楼时，我被一个值周生拦住了：“站住，哪个班的?”

“四年……嗯，四年二班……”鬼使神差的，我竟然报了四年二班。其实我并不想撒谎，可是，又不想因为我迟到让班级被扣分。以前，分数最多的班级每个月会得到流动红旗，分别是卫生红旗和纪律红旗。现在，红旗改成了“大笑脸”，粘在班级的门上。笑脸分

两个颜色，黄色的代表纪律，绿色的是卫生。

这两个可爱的笑脸一直轮流在别的班的门上笑，一次也没光临我们班。甜老师的笑因此也少了许多。我们希望甜老师高兴起来，所以，下决心这个月一定要得到一个笑脸。可是现在，我却迟到了，而且是在这个月的最后一天。

我看到值周生在本子上给四年二班扣了2分。我假装朝四年二班的教室走，等值周生走远了，才飞快地溜进自己的教室。

一整天我都提心吊胆的，就像守着个炸弹，不知什么时候它就会爆炸似的。下课的时候，我无精打采地走出教室，看着朱奇奇兴高采烈地玩悠悠球，觉得一点儿意思也没有。

朱奇奇停下来，跑到我跟前摸了摸我的脑袋，问我："你是不是病了?"

我真希望现在就病了，可以躲过这一天。可是，偏偏怕什么越来什么。

远远地，我看到早上扣分的值周生正朝这边走过来，我赶紧蹲在花坛后面，不知道眼前这棵高大的美人蕉能不能把我挡住。

我不放心地在地上摸了几把土蹭在脸上。这样，他就不会认出我了吧。

过了半天，他终于走开了。我松了一口气，这时才感觉脚都蹲麻了。我一瘸一拐地奔向厕所。刚提上裤子，上课铃就响了。可是，我怎么听到旁边有哭声？仔细一看，原来有一个一年级的小男孩正蹲在厕所的角落里哭呢。

“你怎么了，小不点儿?”我问他。

“呜呜呜——我拉到裤子里了……”他一边抹眼泪一边说道。

我不由自主地捂上了鼻子。他让我想起刚上一年级时尿裤子的经历。可是，上课铃都响了，我该怎么办呢?

“呜呜呜——”看他有一种不哭到放学不罢休的架势。

我叹了口气，问他：“你是哪班的？我去帮你找老师。”

“一年二班的。”他的小脸脏得像只小花猫。

我以猎豹的速度跑向一年二班。可是，他们的班主任是个女老师，进不了男厕所。我只好拿着老师递给我的裤子，再次返回男厕所。

“给，换上吧。”我把裤子递给他。

“可是……可是，我没有纸。”

我差点儿晕过去，真是不能做好事，麻烦死了！

我再次跑向一年二班，取了一大卷手纸。

等我终于可以向我们班教室跑过去的时候，麻烦真的来了。在教室门口，我又看到了那个值周生。

“站住！怎么又是你！上课铃都响半天了，你还去玩！扣分！”他毫不留情地给四年二班又扣掉了2分。

我怎么这么倒霉呢！不对，是四年二班怎么这么倒霉呢！

我一走进教室，就听到同学们的笑声。

甜老师放下课本问我：“你参加野战队了吗?”

朱奇奇冲着我比画了半天，我终于想起来，刚才蹭在脸上的土忘擦了。

“我……我上厕所去了……”我吞吞吐吐地说。

甜老师冲我挥了一下手：“快回座位，下课的时候要抓紧去厕所！”

有太多的事情压在心上，我沉重得都快喘不过气来了。上课的时候我已经没有心思折小飞机了，也没有心思在书上画小人了。快下课的时候，甜老师叫我到黑板上做数学题。因为没有其他的事情可以干，我一直在听课，所以，我把答案全都写对了。

甜老师像发现了新大陆似的望着我："这是米多吗？真是让人刮目相看！看来，我一定得奖励你点儿什么！"于是，我得到了一颗星星。

集齐十颗星星就能换到一个奖品，之前我已经有九颗了，都是因为地扫得干净，或者帮别人扫地、擦黑板、修桌椅得到的，从来没有因为学习认真得到过星星。现在，我可以跟甜老师换那根百变铅笔了！看来，数学真的一点儿都不难，想成为一个好学生也很简单。

下课的时候，我拿着刚换来的可以弯来弯去的百变铅笔向朱奇奇显摆。

"能让我摸一摸吗？"金刚问。

"不行，这是我的奖品！"我连忙把笔藏在身后。

"小气鬼！不就是一根臭铅笔嘛，有什么了不起的！"金刚气呼呼地冲上来抢。

我们搂着脖子打在一起。

“打架，扣分！”一听到这声音，我急忙停下来。可是，已经来不及了，那个值周生拿着本子走过来，又在四年二班的那一栏里扣了5分！

“都怪你们！这下我们的笑脸该变成哭脸了！”卜一萌恶狠狠地责怪我们。

我告诉她：“我们班的分没被扣……”

卜一萌不相信。她像火车头一样，不等我说完就气冲冲地开走了。

第二天的间操时间，我们在操场上集合。教导处主任开始发放这个月的“笑脸”。发到四年级的时候，从他的嘴里说出“四年一班”的名字。我们全班同学兴奋得大声欢呼，像得了世界冠军一样。卜一萌上台接过笑脸，恨不得马上就粘在我们班教室的门上。

紧接着校长又开始了例行训话。突然，我看到一个身影在队伍前面走来走去，好像在找什么东西似的。是那个一年二班的小豆包。他到底在找什么呀?

过了一会儿，他开始从操场左边走向右边，每个班级的每个同学都挨个仔细地看。走到我跟前的时候，突然停下来，大叫起来：“就是他！就是他!”

起初我吓了一大跳，以为又犯了什么错误呢。等被带到领操台上的时候，我才知道，原来我帮助小豆包的事情正被校长当成典范表扬呢。

我昂首挺胸地站在台上，听校长讲述我的“事迹”。

校长问我：“你是哪个班的?”

“四年一班!”我响亮地回答。

我走回班级队伍的时候，看到甜老师赞许的目光，还有同学们羡慕的眼神。可是，这种快乐只过了十分钟就消失了!

因为我看到值周生走上前去，和教导处主任说了些什么，教导处主任又和校长说了些什么。之后，我们班“来之不易”的“笑脸”，就被无情地没收了。

唉，这笑脸“流动”得真是太快了!

义 卖 会

12月9日　星期五　灰蒙蒙的天，灰蒙蒙的世界

学校要组织一次义卖会，义卖所得都用来资助贫困山区的孩子。

一下课，我就把自己所有的“宝贝”都拿了出来。有我玩过的玩具、看过的漫画书、用过的文具，还有各式各样乱七八糟的小玩意儿。

刘坚强带来了一只蜥蜴。蜥蜴爬来爬去，女生们吓得不停地尖叫。

朱奇奇带来的是一袋牛肉干、两袋QQ糖、三袋烤鱼片、四块萨其马。他一直因为有一张大嘴而苦恼，并且巴巴地盼望着有一天能发明出“嘴必治”、“灭嘴灵”、“大嘴得乐”什么的特效药。为了照顾大嘴，他总会不停地往嘴里塞各种各样的零食，是班里著名的“零食大王”。

不过，看他不停嘴的架势，估计还没拍卖出去就全进肚子里了。

苏拉带来了一个漂亮的芭比娃娃，还有十件娃娃穿的衣服。

卜一萌带来了好多童话书。

金刚带来了一大堆植物大战僵尸的卡片，还有塞尔号游戏卡。他的摊位前挤的人最多，不一会儿，东西就快卖没了。

王天天竟然带来一个PSP游戏机。可是甜老师说，这个东西太贵重，不适合拍卖，让他收起来。这下子他就变得两手空空了。可是，这难不倒他。他到金刚那里买了几张植物大战僵尸卡，又在朱奇奇那里买了一袋QQ糖，然后开始拍卖他买来的这些东西。

第一次卖东西，王天天有点儿不好意思。

我扯着脖子使劲儿地喊："卖玩具啦！"

王天天在旁边跟着喊："我也是！"

朱奇奇高声叫道："卖好吃的啦！"

王天天也跟着喊："我也是！"

看来，告状精真的不能公开地大声地说点儿什么。

我和朱奇奇要卖的格尺一模一样，可是没人买。连问的人都没有。我把钱给了朱奇奇："把你的格尺卖给我吧。"

朱奇奇虽然觉得很奇怪，但还是把东西卖给了我，说："我很高兴。”

我又对朱奇奇说：“如果你愿意让我也高兴的话，你可以再买我的。”

朱奇奇明白了，于是用卖了自己格尺的钱，买了我的格尺。

围观刘坚强的蜥蜴的人最多，就是没人买。一上午，他一点儿收获也没有。后来，我帮他想了一个主意：和蜥蜴比赛伸舌头！

这个主意好，马上吸引了好多同学。

我写了一个牌子：伸舌头比赛。

因为无法量到蜥蜴舌头的具体长度，所以，我们就设定为：伸舌头舔到自己鼻子的人为胜。参加比赛的同学每人要交五毛钱的参赛费，一旦赢了，不但退还参赛费，还将赢得一百元的奖金。

刘坚强偷偷告诉我，他没有一百块钱。我说我也没有，不过，我确信没有人能赢得了蜥蜴，因为我就没见过能舔到自己鼻子的人。

因为有了巨额奖金的诱惑，好几个男生都跃跃欲试。

“你想试试吗?”我用手指了一下金刚，然后又装模作样地摇摇头，“你太胖了，舌头一定也很胖，肯定不够长。”

金刚涨红了脸。谁愿意在女生面前丢脸哪，尤其是败给一只蜥蜴!

他连想都没想，一下子冲到了大家面前："我们就来比试比试吧！"说着，从兜里掏出五毛钱塞给我。

预备，开始！

金刚使劲儿地伸长舌头，拼命朝鼻子努力舔。

"加油！就差一点点了！"我不停地为他加油助威。其他同学也在为他喊加油。

眼看他的舌头就要舔到鼻尖了，可是，一下子又缩了回去，每次都差那么一点点。

金刚累了一头汗，垂头丧气地退到了一边。

卜一萌可能认为这不失为一个集资的好办法，也主动提出一试。我收到她的五毛钱后，她也伸长舌头，努力地舔鼻尖，真的就差一点点。

这下子，我们的生意好得不得了。我忙不迭地收钱。眼见一张张花花绿绿的票子落入腰包，这种感觉真是太好了！等到上课铃响的时候，全班已经有二十六名同学和蜥蜴进行了伸舌头比赛。但是遗憾的是，没有一个人能战胜蜥蜴。

我把大家的参赛费，一共十三块钱，全都交给甜老师，然后大方地说："这是我和刘坚强捐的。"

甜老师皱着眉头，不知道该不该收。她说，为贫困山区的孩子义卖是好事，可是组织这种比赛很无聊，而且捐钱要自愿。她让我们把钱退给大家。

我和刘坚强把钱都退了回去，可是大家又都把钱塞进了捐款箱。

这回，甜老师很高兴。她说我们大家终于明白捐款的意义了。

放学的时候，我竟然看到甜老师也在偷偷试着舔自己的鼻子。

图书角

12月14日　星期三　白云特别白，蓝天特别蓝

学校正在开展书香校园活动，每个班级都要建立一个图书角。我们班的图书角就设在教室的最后面，墙上面有三个大字“图书角”，可是却没有一本书。

甜老师让我们把家里看过的书都带来，捐赠给班级的图书角。

我想把书包里的课本都捐出去，可甜老师不允许，她说这是学习需要的书，不可以捐。看来，想要摆脱这些可恶的课本，还是比较困难的。

第二天，大家把书都带来了。

我带了三本书：《武林秘籍》《轻功是怎么练成的》和《金钟铁布衫》。

朱奇奇的书最没意思：《家常菜300种》《鲁菜菜谱》《满汉全席》……竟然是十本菜谱。我觉得我妈妈能挺喜欢看的。

这下子，我们的图书角有了一百多本书。一到下课的时候，大家都蜂拥到这里，开始“抢书”大战。甜老师不得不站在一边维持秩序。可是，要借书的同学太多了，书还没到手上课铃就响了。

金刚和朱奇奇为抢一本书打了起来，结果，书被站在一旁看热闹的王天天抢走了。甜老师刚把金刚和朱奇奇拉开，我和刘坚强又打起来了。因为他用屁股占着一本书，不让我看……甜老师的脸红扑扑的、汗津津的，像只玩累了的小花猫。她瞪着我们，罚我们每人写一篇检讨。

怪不得甜老师说图书角可以提高我们的作文水平呢，原来，就是不停地写检讨哇！书没看成，还多了一篇检讨，真没意思！

甜老师规定，借书要登记，每个人限借一本，可以拿回家看，七天之内还。可是还没轮到我借呢，好看的书就全被别人借走了。

我终于发现图书角里有一本好看的书——《无限恐怖》，一看书名就很刺激。因为还没轮到我借，我只好盯着这本书，内心祷告着它不被别人借走。我把它藏在了金刚捐的一大堆菜谱的下面。只要等到明天，我就可以把它借走了。

可是，一大早我就看到苏拉在翻这本书，而且，在借书单上登记了这本书。我可不想让它被苏拉借走！趁苏拉还没把它带走，我决定把它偷出来。

我才不会傻到上课的时候偷它。下课的时候也不行，因为大家都围在图书角借书。正好今天是我值日，等到做间操的时候我就可以动手了。

我把计划告诉了朱奇奇，让他帮我“望风”。朱奇奇有些害怕。我告诉他，我只是提前“借书”，不是“偷书”，而且我看得很快，明天就会把书偷偷还回来。

“你肯定明天会还回来?”朱奇奇好像还不放心，直到我重重地点了五下头，他才犹犹豫豫地答应了。

间操的时间到了，大家都到操场上去了，教室里只剩下我和朱奇奇。

我飞快地跑到教室的后面，手刚要碰到那本书的封面，就听到朱奇奇的叫声：“呱呱呱——”这是事先我们定好的暗号。

有危险!

我假装若无其事的样子，拿着扫帚开始扫地。

进来的竟然是校长！我的心吓得扑通扑通直跳。

原来校长只是让我和朱奇奇帮忙搬书。

一直搬到上课铃声响起来。我和朱奇奇累了一头汗，书才终于搬完。直到坐回座位的时候，我才想起来，书还没到手呢！

还有两节课就放学了，不能再等了。我决定就在上课的时候

“下手”，因为我坐在最后一排，正好有机会。

这节是英语课。英语王老师外号“恐龙”，不但长得人高马大，说话粗声粗气，而且还从来不笑。她也不允许有人在她的课上笑或者说话。我已经被她惩罚过无数次了，一上她的课我就头疼。可是，这次为了我心爱的书，我决定豁出去了！

“Good morning……”

“恐龙”面无表情地和大家问好，然后面对黑板开始写单词。

这真是个好机会。我趁机蹲在地上，悄悄爬向图书角。正当我的手快要够到那本书的时候，我听到“恐龙”可怕的叫声：“米多！”

糟糕！被发现了！

我垂头丧气地站起来，乖乖地等着“恐龙”的惩罚：“每个单词抄写一百遍！写不完不许回家！”

看来我与这本书真是无缘了。现在，我已经彻底死心了。

放学的时候，我乖乖地坐在座位上抄写单词。是一百遍呢！一直抄到天都快黑了。等我全抄完的时候，教室里只剩下我和朱奇奇了。

朱奇奇真是我最好的哥们儿，他一直陪着我挨罚。

现在才是一个绝好的机会呢！我飞快地跑向图书角，把那本书藏在我的衣服里面。哈哈，书到手了！

“等等我！等等我！”朱奇奇在后面一个劲儿地喊我。

我们一前一后地跑到学校的小树林里。我迫不及待地把书打开。可是，书里面只有一些看不懂的数字、符号、图案，一点儿也不恐怖！什么《无限恐怖》哇，真是没意思到家了！

“瞧我的！”朱奇奇像变魔术似的从肚皮里掏出一本书来。原来，他也趁机偷了一本。可是，他只看了一眼就把书丢到地上……

这本书是他自己捐的，名叫《家常菜谱》。

缝在裤子上的套袖

12月22日　星期四　寒流来了

下午第一堂是综合实践课。每次上课都很新鲜，有时候我们做手工，用纸叠小纸马、小纸鸡；有时候我们会模拟银行填写汇票、存款取款。上次我给苏拉写了一张一千万元的存款单，她很认真地帮我把它“存”进银行。后来我想从银行里取出三块钱买汽水，苏拉却不承认我的钱在她的银行里。看来银行家都很“黑心”。

今天会做些什么呢？

“希望做飞机模型！”我一直盼望有个自己制造的飞机，而且我想好了，第一个被邀请的乘客就是“一塌糊涂”。

“最好做蛋糕！”只要有好吃的就能堵住朱奇奇的大嘴。他以后的理想肯定是开个零食店。

老师说，今天上课的内容是做套袖。

“唉——”老师刚说完，大家就发出一片泄气的声音。因为我们男生都不喜欢用针用线，只有女孩子才喜欢呢。

我拿起针把它扎在课桌上，看起来像一把微型的剑。然后，我又把针拔出来扎在橡皮上、铅笔上、椅子上……

“现在，把你们面前的布用剪刀裁成长方形，然后对折，用针把对折的部分缝起来……”老师一边在黑板上画示范图，一边讲解着。

这时候，我看到金刚偷偷把布系在头上，假装自己是狼外婆。真好玩儿！我也想当狼外婆，可是，刚把布蒙到头上，就被老师看到了。

我被罚站着听讲。

好在老师很快就讲完了，让大家开始动手操作。我也被允许坐下来。

我刚坐回座位上，突然大叫着跳起来：“啊！有刺客！”

“刺客”原来是一根针，就是刚才我用来当剑的针，现在，它正扎在我的屁股上。

我的针找到了，可是好几个同学的针都丢了。他们趴在课桌下面爬啊爬，找啊找。我恨不得也加入他们找针的队伍，可是我的针没丢，我没办法钻到课桌下面。

刘坚强丢了一根针，却找到了两根针。

王天天哭丧着脸说，那是他丢的针。

刘坚强说："针上又没有你的名字，怎么知道是你丢的？"

王天天很委屈："就是我的针嘛。"

刘坚强晃着针说："你叫啊，它要是答应，我就还给你！"

王天天趴在桌上哭起来。

老师叹了口气，让大家从课桌底下钻出来，又重新发给丢针的同学每人一根针。

这回换成刘坚强站着听讲了。

我们终于要开始缝套袖了。

"报告老师，我的针眼太小，线穿不过去！"

“报告老师，我扎手了！”

“报告老师，我的布剪坏了！”

…………

老师像蝴蝶一样从一个同学的身边飞到另一个同学的身边，飞得我都眼晕了。我看了一眼同桌苏拉，她很认真地缝套袖，一针一针，眼看套袖就快做好了。而我的套袖还只是一片布。

“要不要我帮忙啊？”苏拉问我。

“哼，才不要呢！”我生怕被她小瞧了。

“我看你一年也做不完一个套袖。”苏拉捂着嘴笑起来。

“谁说的？不信我们比比看！”说这话的时候，我明显觉得有点儿心虚，可是话已经说出口，就没办法再收回来。

“好啊，比就比！还怕你不成？输了的是狗熊！”苏拉胸有成竹地说，“谁输了谁蹲在地上学狗熊爬！”

现在，我只能硬着头皮和苏拉比赛了。

我穿上线，飞快地缝起来。想要让尖尖的针不扎手，真不容易。我的手上已经有了十个针眼，不对，也许是十一个。我已经把一块布缝在了一起，差不多成了套袖的样子。我使劲儿地拽线，可是劲儿好像大了，刚刚缝在布上的线像变魔术一样全都被我拽了出来。真糟糕！忘了打线结。

没办法，只好重新开始。

我重新穿上线，认真地打好线结，一针一线地开始缝……

过了好久好久，好了，终于缝好了。虽然缝得歪歪扭扭的，但是，真的变成套袖了！而苏拉还差最后几针没缝完呢。

我兴奋得跳起来，我赢了！现在，苏拉是狗熊，她就要趴在地上学狗熊爬了！

等一下，为什么套袖像长在我身上一样，拿不下来？

真糟糕！我把套袖和裤子缝在一起了！

今天我当爸爸

1月7日　星期五　马路被冻得硬邦邦的

老师布置了一个作业：与父母互换一天角色。

当爸爸还不容易？每天回到家什么活儿也不用干，只要看看报纸，玩玩电脑。当爸爸可以不做作业，却可以管儿子写作业。当爸爸很自由，想干什么就能干什么。这个爸爸实在太好当了。

回到家，我把书包往沙发上一扔，冲到电脑前开始玩游戏。妈妈回来了，看到我没写作业，反而在玩游戏，气得揪起我的耳朵。

我大叫："今天我是爸爸！"

因为我现在正在完成"我是爸爸"的作业。

妈妈的手在空中停了三十秒，然后，无力地放下来。

真好，玩游戏就是写作业。

等我已经闯到第五关的时候，爸爸回来了。他一屁股坐在沙发上，开始看报纸。

“停！”我急忙冲到客厅里，抢过爸爸手里的报纸，“你今天是儿子，我是爸爸，所以，报纸是我看的，你去做儿子该做的事吧。”

我解释了老半天，爸爸才终于明白，原来今天我要和他互换角色。

“我从来不知道当爸爸还有这么多的好处！”爸爸说，“可是，我现在该干什么呀？”爸爸竟然不知道应该怎么当儿子。

“写作业。”我把数学作业递给他，然后拿起报纸，端起茶杯，认认真真地开始当“爸爸”。

“好吧。”爸爸垂头丧气地走进我的房间，开始写作业。

其实报纸一点儿也不好看，还没有漫画书好看呢。可是，因为我今天是爸爸，所以只能看报纸。

“吃饭了！”妈妈做好了饭招呼我们。

我赶紧扔下报纸，冲到饭桌前。

盘子里有一只油亮的大鸡腿，我刚要夹过来，可是爸爸却飞快地用筷子抢到自己的碗里，还把菜里面的瘦肉都夹到自己碗里。剩下的大肥肉和鸡脖子、鸡脑袋什么的，只有“爸爸”我来吃了。我心里很不舒服，但我又不能和爸爸抢，因为今天晚上，我是爸爸，他才是儿子。爸爸怎么能和儿子抢东西吃呢？我只好气呼呼地对付可恶的、没有肉的鸡脑袋。

吃完了饭，妈妈对放下饭碗的爸爸说：“刷碗去！”

“你去！”爸爸用手一指我，“现在你是爸爸，刷碗的活儿当然是你干！”

“哦——”我垂头丧气地走进厨房，开始刷碗。平时刷碗的活儿都是爸爸干的，现在我是爸爸，当然这个活儿就得交给我了。

刷完了碗，我正准备像爸爸平时一样看电视。爸爸却大叫道：“你得陪我写作业！”

我想了老半天，嗯，爸爸说得没错，爸爸平时都是陪我写作业的。

“1.2乘以3等于几呀?”爸爸问道。

“自己算。”我才懒得动脑子呢。

“我不会算。”爸爸说。

唉，真没办法！我只好一道题一道题地给爸爸讲。这用掉了我一个半小时的时间。还不如我自己写作业呢。

现在，我要开始看电视了。

“你要给‘一塌糊涂’洗澡。”妈妈一边嗑着瓜子一边对我说。

“一塌糊涂”最不喜欢洗澡了，每天晚上给它洗澡成了我们全家最头疼的事儿。

“今天轮到爸爸给‘一塌糊涂’洗澡……”我突然想起来，现在我是爸爸。

我只好抱起“一塌糊涂”，磨磨蹭蹭地去卫生间。

给“一塌糊涂”洗澡真是不容易，它又叫又咬又挠的，拼命地往浴盆外面逃。我紧紧地摁着它的屁股，好不容易给它打上浴液，它一抖身上的毛，泡泡全都溅到我的身上、头上了。我跳进浴缸，拽住“一塌糊涂”的尾巴和它打了起来……

一个小时后，“一塌糊涂”终于洗干净了。它舒舒服服地躺在浴巾里，可我的全身都湿

透了，还粘了一身的狗毛。

我真是个倒霉的“爸爸”。

“爸爸，闹钟坏了，修一下。”妈妈对爸爸说。

这个活儿我喜欢！我一下子冲过去，抢过闹钟：“好的。”

妈妈吃惊地张着大嘴：“你？”

“当然。”我自信满满地说，“谁让我是爸爸！”

半个小时后，闹钟被我全部拆开；一个小时后，闹钟被我全部装好。一个零件不多，一个零件不少。我真是个“天才爸爸”！

可是，闹钟为什么不走了？

我悄悄把闹钟放回房间里。

现在干些什么呢？我努力地想爸爸平时的样子，他每天睡觉前，都要在书房里忙活好久好久。

现在，我也要去书房。

我打开爸爸的一本书，书里全都是怪模怪样的符号，一点儿也看不懂。我扔下书，找到一张纸，在上面画画。

画完一张，再画一张。我一共画了八幅画。

现在我有些累了。我打着哈欠，走回自己的房间，准备睡觉。

“啊！”为什么这么疼？爸爸站在我面前，我的一只耳朵正被爸爸揪着。

我还看到很多张画，这都是我画的。

“是我画的。”我解释道。

“看看你都干了些什么！”爸爸气呼呼地挥舞着我的画作，“这都是我明天有用的报告，现在，全都被你毁了！”

爸爸的大手拍向我可怜的屁股。

“等等！”我大叫着，“我是爸爸！我是爸爸！”

可爸爸根本就不听我的。

记分册历险记

1月12日　星期三　下雪了

期末考试结果终于出来了，数学59分。唉，就差一点儿，现在我的数学又挂起了大红灯笼。

朱奇奇管不及格叫“大红灯笼高高挂”。唉，差一点儿就60分万岁了。现在可怎么办呢？甜老师让爸爸签字呢。

一想起爸爸，我的屁股就不由自主地哆嗦了一下。爸爸会拎起我的耳朵，在我“哎呀哎呀”的叫声中抄起鸡毛掸子。每次被那个满身鸡毛的家伙“摸过”屁股之后，总有好几天站不得坐不得。

“处罚你是因为爱护你，孩子。”爸爸每次打完我的屁股都会这样说。

“我知道，爸爸。可是我不应该得到这么多的爱护……”每次挨完打，我都会捂着屁股龇牙咧嘴地呻吟。

放学后，朱奇奇和我一起回家。

路上，我从书包里拿出记分册，翻到59分那一页，对朱奇奇唉声叹气道：“为什么是59分呢？就差1分。”

朱奇奇看了看，说：“米多，这下可糟了！再过两个星期就是你的生日，我想，你爸爸不会送礼物给你了。”

我着急了：“那可怎么办呢？”

朱奇奇给我出主意：“我知道有个同学干脆把记分册上有不及格

分数的那一页和另一页粘在一起，他爸爸用手指舔上唾沫也没能揭开，这样就没看到那个分数。”

我皱着眉头：“这样骗爸爸妈妈，不太好吧！”

“这是你的事，你有权利决定做还是不做！”朱奇奇哼着歌儿回家了。而我呢？忧心忡忡地回到家里，坐在书桌前，翻开记分册，恐惧地盯着上面的59分。我拄着下巴拼命地想办法，可是怎么想也想不出来。记分册上鲜红的59分皱着眉头，和我一样垂头丧气的。

我将记分册折来折去，最后折成一架飞机，载着59分的“光荣”。我哈了哈气，用劲儿投了出去，飞机在屋子里翱翔一圈儿后，歪歪扭扭地挣扎一番，终于无力地落在地上。

“有了！”我一拍脑袋。就说记分册飞了，“呜——”的一下就飞没影了。

爸爸一定不信，怎么大白天就飞走了呢，又不是直升机。可它现在不就飞走了吗？变成飞机飞走了。

只要闭上眼睛就什么也看不见了，什么59分，什么记分册，统

统见鬼去吧！

我真的闭上了眼睛，捡起地上的“飞机”使劲儿投了出去。

过了好一会儿，我小心翼翼地睁开眼睛，成绩单果真不见了。起先我有些害怕，可是马上又高兴起来，这下我可没有记着59分的记分册了。它真的变成飞机飞走了，飞到了一个我不知道或者说看不见的地方。也许是世界的哪个角落吧，反正现在不见了，希望它永远消失吧。

这时我心里感觉有些轻松了。

当爸爸回到家的时候，我告诉爸爸，记分册被我搞丢了。

第二天，甜老师知道我的记分册丢了，又发给我一本新的。

我翻开新的记分册，指望上面没有一个坏分数，但在数学栏内还是有个59分，而且笔道更粗。

我顿时十分懊丧，简直气极了，就把新的记分册往教室的暖气片后面一扔。

两天以后，甜老师知道我的这本记分册也丢了，就又给我填了一份新的。除了数学有个59分外，她还在上面给我的品行打了个不及格，并叮嘱说，一定要把记分册交给我爸爸看。

课后，朱奇奇偷偷告诉我："如果你暂时把记分册上的那一页粘起来，这不算撒谎。一个星期以后，等你生日那天拿到了礼物，再把它分开，让爸爸看上面的分数。"

我很想得到礼物，于是就和朱奇奇一起，把记分册上那倒霉的一页的四只角都粘了起来。

晚上，爸爸说："喂，把记分册拿来！我想看看，你不至于不及格吧?"

爸爸打开了记分册，但上面一个坏分数也没有，因为那一页被粘起来了。

爸爸正翻阅着我的记分册，"一塌糊涂"突然冲了出来，嘴里还叼着个什么东西。爸爸从"一塌糊涂"的嘴里把那个东西夺了下来，它看起来皱皱的，团成一团。

是什么呢？我好奇地凑了过去。

爸爸把它打开，是我用记分册折的飞机，上面有一个非常醒目的“59分”！

现在，爸爸送给我的礼物变成了一顿胖揍。说真的，这个礼物我一点儿都不喜欢，实在是太……太……疼了！

帮苏拉减肥

3月8日　星期二　春天春天你在哪里

已经开学好几天了，可是苏拉一直都在生气。这都怨可恶的校舞蹈队，说是要选拔新成员，可是选来选去，苏拉还是被淘汰了。

不就是胖了那么一点点吗?

一提起“胖”，我想起金刚减肥的故事。金刚用游泳来减肥，坚持了几天后，肚子还是圆滚滚的，一点儿也不见小。

我不认为游泳能减肥，鲸鱼一直在游泳，可是它好像还是很胖。

后来金刚改吃豆腐不吃肉，坚持了一星期后，金刚见到有老鼠跑过眼睛都放绿光，我真担心金刚哪一天饿极了，把自己给吃了。不过，因为金刚减肥减得一点儿力气都没有了，所以我可以放心地和他打架了。

苏拉坚持要减肥，为了她的舞蹈梦。

“有谁能让我减掉五斤，我送他十袋牛肉干！”苏拉决定“悬赏减肥”。

大家都为牛肉干兴奋着，七嘴八舌地帮助苏拉想办法，因为大家都想赢得十袋牛肉干。看来，只能用打擂的办法了。

金刚的办法是：负重练习。

苏拉背着五个人的书包爬七楼，然后再从七楼爬下来，如此进行十个回合。苏拉累得像一摊稀泥，最后一头从楼梯上滚了下来。称一称体重，好像还重了半斤，可能是因为额头上的大包。

金刚连牛肉干的味道都没闻到，就败下阵来。

王天天的办法是：绝食运动。

中午吃饭的时候，我和朱奇奇帮忙把苏拉的那份饭给吃掉了，撑得我们连动都不能动了。苏拉可怜巴巴地盯着我们吃东西的样子像一只饿了好几天的小猫。下午体育课的时候，苏拉刚跑了不到一圈就晕倒了。在紧急补充了大量牛肉干、烤鱼片、薯片之后，苏拉又神气活现了，可体重又增加了一斤。

王天天也失败了。

刘坚强的办法是：疲劳疗法。

本来今天是刘坚强值日，可是为了让苏拉减肥，他决定把这个“机会”让给她。擦黑板、扫地、倒垃圾……

不吃饭还干活的滋味可真难受啊，苏拉累得都快爬不起来了。上课的时候，苏拉终于挺不住了，在甜老师悦耳的朗读声中睡着了。我乐坏了，原来甜老师的好学生苏拉也有上课睡觉的时候。可是只一小会儿，我就乐不起来了。因为我看到甜老师走到苏拉面前，关切地问道：“昨晚又熬夜看书了吧？以后别睡得太晚，要注意身体啊！”

我气坏了，如果换是我，甜老师肯定又要嘟嘟哝哝地教训道：“肯定又看电视了，就是不知道学习，你呀你！”

刘坚强的办法对苏拉还是没有用。这样折腾了一天，称一称体重，还是不见减少。

就在大家都束手无策的时候，我扬扬自得地说：“我有一个肯定见效的办法！”

“什么办法？快说！”本来已经彻底失望的苏拉突然像打了兴奋

剂一样。

“这个嘛……”我故意卖着关子。

苏拉摇了摇手里的牛肉干，香喷喷的味道一下子钻进我的鼻子里。我忍不住咽了一下口水，说：“我妈妈有一瓶神奇的减肥药水，

喝起来保管瘦，因为我妈妈已经亲身验证过了，真的瘦了很多，你想试一试吗?”

苏拉一个劲儿地点头。

晚上，趁妈妈在客厅看电视，我悄悄溜进洗手间。在一大堆香水、头油、洗发水、沐浴液、化妆盒中翻来翻去，就是找不到那瓶减肥药水。我真不明白，女人为什么这么麻烦，每天把这些古里古怪的东西擦在脸上，和唱戏的差不多少，花花绿绿的，还觉得挺美。

“唉，女人啊……”我摇头晃脸地感叹了一句。

“谁，谁在洗手间？是你吗，米多？”妈妈一边嗑瓜子一边扭头问。

“啊，啊，是我!”我紧张地答道，手一哆嗦，一个瓶子应声倒地。

“你这个捣蛋鬼，又在搞什么呀?”妈妈听到声音，有点儿不放心。

真糟糕，是妈妈的那瓶减肥药水!

“没，没什么……”我急中生智，“是肥皂盒掉地上了!”

还好，妈妈只顾着看电视，没有多问什么。可是减肥药水已经全洒在地上了，一滴也不剩。妈妈不能用了，苏拉也不能用了。要是被妈妈发现，肯定又要大吼大叫，这可花了妈妈半个月的工资呢。

看来只能这么办了。

我把妈妈的香水、头油倒在减肥药水瓶里，又到厨房里兑了点酱油、醋，再加上足够多的自来水。这样，赔给妈妈和送给苏拉的减肥药水就成功诞生了。

当苏拉手里握着我亲手研制的减肥药水时，她的眼里散发出无比灿烂的喜悦之光。

最初还有点儿担心，怕苏拉不相信。但看到苏拉一仰脖，“咕咚咕咚”很快就喝下去时，我才放下心来。

“这回我是不是很快就瘦了？最好瘦得像……嗯，像林心如一样。”苏拉沉浸在自己美好的幻想里。

“真有效啊，我发现你已经有一点点瘦了。”朱奇奇讨好地说。

整整一上午，我的眼睛都紧紧地盯着苏拉。还好，苏拉看起来不像不舒服的样子，还像以前一样，上课认真地做笔记，回答问题。然后我就把这件事情抛到了脑后。

中午吃饭的时候，苏拉说自己有点儿恶心，什么东西也吃不下。

下午上课的时候，苏拉的位置空空的。

我吓坏了，看来减肥药水出问题了！

天哪，别出人命啊！

我急急忙忙找到甜老师，哭着“坦白”了一切。

甜老师狠狠批评了我一通，并且惩罚我把“我再也不搞恶作剧了”这句话抄写一百遍。还好，甜老师告诉我，苏拉没有事，只是参加学校的一个知识竞赛去了。

放学回家的第一件事就是冲到洗手间找妈妈的减肥药水。这一看可吓一跳，我简直不敢相信自己的眼睛：瓶里只剩下可怜的几滴！

难道我制作的减肥药水比牛肉干的味道还好吗？

卖故事

3月17日　星期四　天一直阴沉着脸

没有人喜欢写作文。

一看到作文本上一个个排列得密密麻麻的小空格，我就觉得头痛、眼前发黑、喘不过气来，好像随时都会晕倒。爸爸说我患有严重的“作文恐惧症”。

可是，最近却有一个非常大胆的想法不容置疑地钻进了我的脑袋里——当作家。

作家不写作文，至少他不会写老师留的那些《我的爸爸》《最难忘的事》《我的同桌》《一个最熟悉的人》《我的校园》等这样无聊的作文。

作家写的都是“大作”，可以编造任何离奇的故事，上天入地、穿越时空、妖魔鬼怪……反正是很棒很棒的故事！最重要的是，当作家可以赚到钱。

对于我来说，创作灵感并没有全副武装地从脑子里蹦出来，不过，我总算开始写了。起先写得很慢，渐渐加快了速度。我越写越快，越写越带劲儿，越写越兴奋狂热，最后，终于有了我的第一篇“大作”。

果然不出我所料，当我把“大作”拿出来的时候，朱奇奇忍不住跑过来说：“你最近让我觉得陌生极了！”

“嘘，你不要告诉别人。”我神秘地告诉他。

这是真的。如果你有什么事想用最快最有效的方法向所有人传播，只要在下课的时间，轻轻地对旁边的一个同学说：告诉你一个秘密，你不要告诉别人。那么接下来所发生的，保证会如你所愿。

我的设想没错。

很快，我身边就围满了好多好奇的人，他们纷纷迫不及待地问：“你在做什么啊?”

“我在写小说。”我告诉他们。

“什么什么？写小说？你?”大家都不相信。因为我平时的作文总是不及格。

但是，当我读起来的时候，大家都听得很认真。因为我小说里面的人物大家都熟悉，有王天天、苏拉、卜一萌、朱奇奇……在小说里面，他们都是英雄。

第一个故事只有两百字，讲的是朱奇奇变身奥特曼打小怪兽的故事。写这个故事用了差不多一个晚上。

“想听故事的每个人交一毛钱。”我大声吆喝道。

一听到要交钱，围观的人全走光了。只剩下“主人公”朱奇奇，他交给我一毛钱。

第二个故事写的是金刚到宇宙探险的故事。听众只有一个，就是金刚，我的收入也只有一毛钱。

照这个速度进行下去，就算我写故事写得累死了，收入也不会超过十块钱。而且每天晚上写得太晚，白天上课的时候总是不停地打瞌睡，已经被甜老师批评好几次了。显然这么做不太合算，我得再想想别的法子。

经过一个晚上的思考，我终于想到了一个好主意。

第二天早上，我的新故事是：王天天是个胆小鬼。

我把故事先拿给主人公王天天看，这当然是个真实的故事。王天天真的很胆小，上次看到一只蟑螂竟然吓晕了。除了王天天，听故事的人都笑得合不拢嘴。王天天一点儿也不觉得这个故事好笑，他很生气。

“其实，如果你不想让我读给大家听的话，可以买走它呀。”我提议道。

“买走它?”王天天看起来有些动心了。

“一个故事一块钱，一点儿都不贵吧?”王天天从兜里掏出一块钱递给我，一把抢走了他的故事。

下一个故事是金刚摔个大屁股蹲儿。

金刚毫不犹豫地花五块钱买走了。

“这样好了，”刘坚强买故事的时候没有钱，于是慷慨地拿出两袋牛肉干，“你把我的故事还给我，我送你两袋牛肉干!”

我盘算了一下，如果我每个晚上写一个人的一个故事，就会有两袋牛肉干。这个买卖不错。

不久，我的座位旁边就排满了等待买故事的人。

朱奇奇买走了他的臭脚丫子的故事。

刘坚强又买走了他尿床的故事。

苏拉买走了她爱哭的故事。

…………

经过一周辛苦的“写作”，我仔细清点了成果，一共赚了十二块钱、三个果冻、四袋牛肉干、五根棒棒糖、六袋跳跳糖……

后来，甜老师知道了这件事。

我以为她会狠狠地批评我呢，可是，她竟然当着全班同学的面表扬了我。我很兴奋地告诉她：“还有一个关于你的故事呢，当然，如果你愿意把它买回去我很高兴。”

甜老师当众念了起来，故事讲的是她看到毛毛虫尖叫起来，而且吓得全身发抖。

大家听得都笑个不停。甜老师说：“其实每个人都有害怕的时候，这是很正常的，没有什么不好意思的。”她还鼓励大家说出自己最“不好意思”的事。

王天天讲了他胆小的故事。

朱奇奇讲了他臭脚丫子的故事。

刘坚强讲了他尿床的故事。

苏拉讲了她很爱哭，像个胶皮娃娃的故事。

…………

这堂课大家都很开心。

可是下课的时候，同学们都跑到我面前，纷纷把故事退给我，还要我退还他们的钱和各种零食。

钱可以还，可零食都进肚子里了，怎么还呢?

道歉课

3月29日　星期二　云彩帮太阳藏猫猫

下午第一节课是思想品德与社会课，我们简称思品课。老师有时候会留一些很有意思的作业，比如母亲节让我们给妈妈洗一次脚；大家蒙上眼睛走路，体会盲人的感受。今天的课更有意思，是一节道歉课。

教思品课的齐老师戴着厚厚的、一圈套一圈的近视镜，可能因为度数太高了，所以她总是看不到我在下面搞小动作。也正是因为这个，我最喜欢上齐老师的课了。

齐老师先在黑板上写下了“道歉”两个字，然后开始讲道歉的意义。道歉谁不会呀，不就是对不起、是我的错、原谅我吗？这太简单了！

我把一个字条粘在了坐在前面的朱奇奇的后背上。上面写的字很小，得使劲儿使劲儿地看才能看到。果然，和我想象的一样，坐在另一侧的金刚急得猴子似的站起来探头探脑。他一定很想看清楚字条上面的字。

“你到底写的什么呀?”金刚忍不住小声问我。

“保密!”我故意吊他的胃口。

“保密还贴出来?”金刚越是看不清楚，越是想知道字条上的内容。

这时候，齐老师已经注意到金刚在东张西望了，她眯着眼睛，使劲儿地盯着金刚。可是金刚却一点儿也不知道，他正努力地看字条上的字呢。

我把身子坐得笔直，一动不动的，看齐老师走向金刚的座位。

“金刚，站起来!”齐老师生气地敲了敲他的桌子。

金刚说他就是想看看朱奇奇背上的字条。

“字条在哪儿呢?”齐老师问。

字条早已经被我撕下来了。齐老师没在朱奇奇后背上看到有什么字条，所以生气地罚金刚站到教室后面听讲。

金刚一边往教室后面走，一边冲我挥着拳头。

“咚——”我用小刀切橡皮的时候，突然有什么东西打在我的头上。不会是齐老师吧?

我连忙抬起头，齐老师正在给大家示范如何道歉：“要先鞠躬，然后微笑，要很真诚……”

那会是谁呢?

一回头，我看到金刚一脸的坏笑，才明白，是金刚干的!

趁老师不注意，我把金刚扔过来的纸团又扔回去，正巧打在了金刚的鼻子上，真好玩儿!

金刚捡起纸团又扔向我的时候，我一低头，纸团打到了王天天的头上。

王天天捡起纸团扔向金刚，结果，纸团打中了刘坚强。

…………

每个被纸团打中的人都很生气，可是

又觉得很好玩儿。于是，纸团在空中飞来飞去，一直飞到了齐老师的脚底下。

这都怪朱奇奇，投掷技术实在太差了！真是“蛋白质”——笨蛋、白痴、神经质。

这回齐老师更生气了，她问：“是谁扔的？”

朱奇奇耷拉着脑袋站起来：“是有人扔我头上的……”

“是谁扔朱奇奇的？”齐老师继续盘查。

刘坚强站了起来：“是有人扔我头上的……”

“是谁扔刘坚强的？”齐老师要追究到底。

金刚不用站起来，因为他一直在教室后面站着呢。

最后，我被揪了出来。

齐老师说：“米多给朱奇奇道歉，因为你在朱奇奇后背上贴字条；金刚给米多道歉，因为你用纸团打米多；金刚给王天天道歉，因为你打到了他；王天天给刘坚强道歉；刘坚强给朱奇奇道歉；朱奇奇给我道歉，因为你打到了我……”

我们整整一堂课都在没完没了地道歉，真有意思。

“对不起！”

“没关系！”

“对不起！”

“没关系！”

“对不起！”

“没关系！”

…………

等我们全都互相道完歉，齐老师罚我们把“上课不应该溜号”抄写五十遍。然后齐老师说：“这回你们每个人都学会道歉了吧？”

“你能告诉我字条上到底写的什么吗？”下课了，金刚不死心地跑到我跟前，死皮赖脸地问道。

我把藏在裤兜里的字条拿出来，上面写着：

再看就被老师盯上了。

黑 日 志

4月6日　星期三　云彩像棉花糖似的

“米多，不许东张西望的！”站在讲台上领着大家晨读的卜一萌指着我说。

“我在认真读哇！”我梗着脖子不服气地说。

我看到朱奇奇一个劲儿地冲我比画，还偷偷地捂着嘴笑。

卜一萌黑着脸走到我面前，用手指敲着我的书说：“你是神仙啊？倒着看书！”

可不是，我手里的书都拿倒了。

“你再不听话我就把你的名字记下来！”一听这话，我顿时心虚起来。

卜一萌有一个甜老师发给她的“班级日志”，里面有每个同学的表现记录。可别小看了这个本子，甜老师会根据每天的日志内容进行奖惩。我就有过好几次违纪的记录，都被甜老师一一惩罚了。

可恶的“黑日志”！

下课的时候，我和朱奇奇商量，怎么才能把日志偷到手，然后就地销毁。

“什么？你准备偷日志？”朱奇奇的大嘴巴就要变成大喇叭了。

我赶紧伸出手指放在嘴边：“嘘，小声点儿！”

“卜一萌总是把日志带在身上，不好下手哇！”朱奇奇说。

我说：“所以才要想点儿办法。”

“她一点儿也不害怕毛毛虫，这你是知道的。”朱奇奇说。

一提到毛毛虫，我就有点儿灰心。有一次，我捉了一条特大号的毛毛虫，放到卜一萌的文具盒里，结果吓得大叫的不是她，是甜老师。卜一萌竟然一点儿也不害怕，她像个男孩子一样用手把毛毛虫捉住。为这事，我得到了甜老师太多的“关照”，罚站三堂课，抄写课文二十遍。看来，用毛毛虫吓唬她的方法，是根本不可行的。

我和朱奇奇想不出什么办法来，气得只好先去上厕所。

哎，对呀，卜一萌总要上厕所吧？我不相信她上厕所的时候也带着日志。

果然，再次下课的时候，只见她急急忙忙地跑出教室，手里空空的。这正是一个机会。我赶紧冲过去，在卜一萌的书桌里翻找起来。

奇怪，日志呢？我翻了老半天，连日志的影子都没看到，难道它长翅膀飞走了？

“你在干什么？”突然，我听到卜一萌的叫声，吓了一大跳。

我急中生智，赶紧蹲在地上：“我，捡废纸……”

卜一萌走过来，见到我真的蹲在地上，手里拿着一个纸团。其实，这个纸团是我上课的时候刚刚折好的小飞机，还没等玩呢，现在，变成一团废纸了。虽然有点儿心疼，但我还是因为逃过了卜一萌的“火眼金睛”而松了一口气。

卜一萌从书桌上拿起一个本子，上面写着“班级日志”！我简直不相信自己的眼睛，它竟然就放在书桌上面，而我却在书桌里面找来找去！我懊悔得想抽自己的嘴巴。

现在，我看到卜一萌在日志上写着什么，难道她发现了我的秘密?

第三堂课是体育课。

老师说，每个人绕操场跑十圈，谁先跑完谁就可以自由活动。这是个机会。

我一路领先，第一个跑完了十圈，然后气喘吁吁地冲回教室，找那本可恶的日志。

书桌上面，没有。

书桌里面，没有。

书桌下面，没有。

卜一萌到底把它藏在哪儿了？我垂头丧气地又回到操场上。

“米多，根据你刚才的成绩，你要代表班级参加校运动会的长跑比赛。”体育老师说，“从今天开始，每天放学都要来参加训练……”

我差点儿晕过去！每天放学后？那我不是一点儿玩的时间都没有了？为什么是我呢？为什么我要跑那么快呢？我现在恨透了自己！

日志到底被卜一萌藏到哪儿了？

下课的时候，我不想出去，就想待在教室里。

金刚和朱奇奇打起来了，不知道为什么。我现在唯一要做的就是认真地寻找日志。

后来，我终于在卜一萌的手里看到了日志，她正把金刚和朱奇奇的名字记在上面。真奇怪，难道卜一萌是魔术师吗？她怎么可以把日志变来变去的呢？

上课的时候我不再搞小动作，也不叠纸飞机了。我使劲儿地盯着卜一萌，看她到底把日志藏在哪里。可是，卜一萌一直在专心地看黑板，听老师讲课。

“米多，你把刚才那个单词念一遍。”英语老师提问我。

我站起来，把那个单词很正确地念了一遍。因为刚才卜一萌就是这么念的。

英语老师表扬了我。原来想得到表扬这么容易呀。可是日志还没到手呢。

我决定从苏拉这里入手，找到卜一萌的弱点。

“你看，卜一萌就快过生日了，我们是不是应该送她生日礼物哇?”我试探着问苏拉。

苏拉怀疑地看着我：“你到底又在打什么鬼主意?”

“没有没有!”我连忙摆手说，“我真的觉得班长为班里做了好多贡献，我们应该送她一份生日礼物。”

“我看你是黄鼠狼给鸡拜年，没安什么好心眼吧?”苏拉一扭头，不理我了。

我不死心，还想试一试。今天是苏拉值日，下课的时候，我抢着帮她擦黑板、扫地。真奇怪，为什么上一年级的时候那么喜欢做值日，可是，年级越高越想逃避值日呢？尤其我们男生，最扫兴的就是刚抱着足球往外面跑，就被卜一萌抓住，逼我们做值日。所以，看到今天我很殷勤地帮着苏拉做值日，卜一萌的眼睛紧紧地盯着我，生怕我又搞什么小动作。

苏拉不喜欢擦黑板，她怕漂亮的衣服上弄得全都是粉笔灰。我不怕，我喜欢变成“小粉人”。

我已经连续帮苏拉擦了三堂课的黑板。

苏拉终于忍不住了，问：“你到底想干什么?”

“没什么，我想送卜一萌一件礼物，可是怕她不喜欢。”我老老实实地说。

“真的只是一件礼物吗?”苏拉还是不太相信似的。

“真的。”我回答。

“嗯，只要不是花就行，卜一萌对花粉过敏……”苏拉犹豫地说。

我简直不敢相信自己的耳朵，怎么这么轻易就知道了卜一萌的“弱点”? 只要让卜一萌对着花不停地打喷嚏，她就会顾不上日志了。

我用自己所有的零花钱买了一束漂亮的花，还打了一个漂亮的蝴蝶结。虽然，从现在开始连续一个月我都吃不上雪糕、喝不上汽水，但是我终于可以得到日志了。

等我拿着花上气不接下气地跑进教室的时候，上课铃已经响了。甜老师站在讲台上看着我：“怎么又迟到了?”

“我……我……”我把手背在后面，不敢抬起头来。

“你的后面是什么?”甜老师问。

“没……没什么……”我的心怦怦地跳着，差点儿从胸膛里跳出来。

我看到甜老师小心翼翼地转到我的身后，她肯定怕我拿着的是一只癞蛤蟆或者一堆毛毛虫。直到她看到我手里的——

一束花。

“啊，好漂亮的花呀！是送给我的吗?”甜老师把花拿在手里，高兴地说道。

“不……是……”我不知道该怎么回答。

“谢谢你，可爱的米多！你怎么知道今天是我的生日?”听到甜老师的话，我差点儿晕过去!

我不知道自己是怎么晕晕乎乎走回座位的。反正，我感受到了大家羡慕的目光。

到放学的时候，我还是没有把日志偷走。我看到卜一萌把日志交到了甜老师的手里。

“完了完了！我的噩梦开始了!”不知道卜一萌记了我多少的坏

事，现在，就等着甜老师批评吧。

米多主动捡废纸……

米多帮助苏拉擦黑板……

米多上英语课时认真听讲，没搞小动作……

米多为了班级荣誉，参加长跑比赛……

米多送给老师生日礼物……

这是我吗?

我干的“坏事”，怎么在卜一萌的笔下全成了“功劳”?

我是不是还应该继续偷日志呢?

看望校长

4月13日　星期三　沙子都被风吹到天上去了

校长生病了。甜老师要带一个“好学生”去看望校长。

什么样的学生才算是好学生呢?

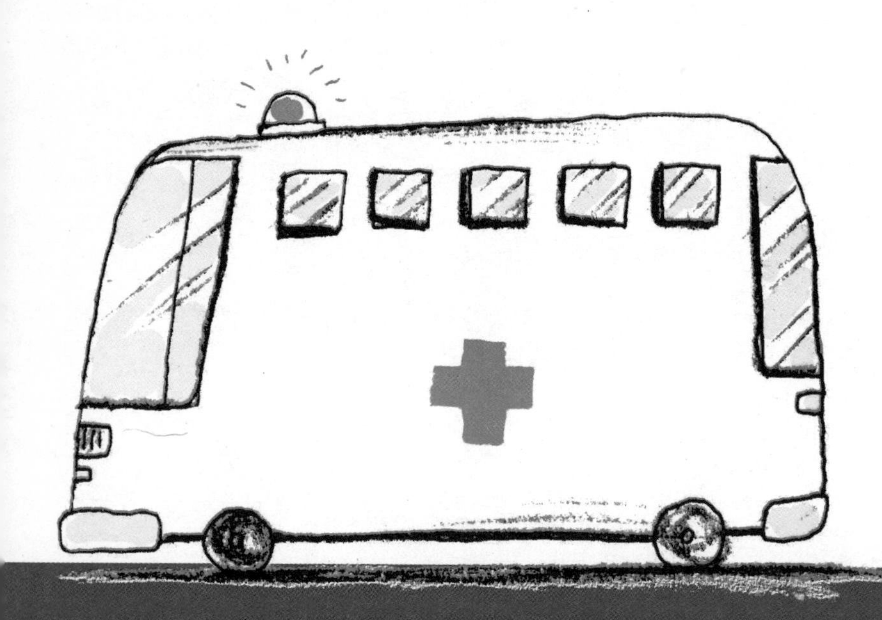

思品好？

学习好？

纪律好？

那帮助和团结同学算不算？

思品、学习、纪律都好，又帮助和团结同学？

我甚至问：“淘气淘得好算不算好学生？”

这个问题已经变得越来越复杂，甜老师说她的头都让我搅大了。她肯定后悔当初为什么不直接说带班长或学习委员去，这样可能会简单多了。

“那大家就民主选举吧！”甜老师把自主权交给大家，选出大家心目中的“好学生”。

可能每个人都想去看校长，票数太分散，要不就是甜老师没有更清楚地解释“好学生”的概念，反正，最后选举的结果是——

我当选了！

我以第一名的票数站在讲台前的时候，甜老师一直在维持秩序。

甜老师的表情好像哭过似的，老半天才勉强地说：“为了尊重民意，我决定下午和我们班的学生代表米多同学，去看望校长。”

这一次不是因为把学校的玻璃打碎了去见校长，也不是因为在三楼的阳台上走平衡木去见校长，更不是因为在墙上留下无数条“金刚大坏蛋”被校长接见……

我是“好学生”了，而且是大家选举出来的，这是多么了不起的事情！

一想到这里，我就觉得很兴奋。

好不容易等到下午，我特意采了一大束花，准备送给校长。我特别想把“好学生”当得像“好学生”。

站在病床前，我竟紧张得说不出话来，路上甜老师教给我的全忘光了。情急之下，我用双手把那一大束花凑近校长鼻子：“它很香，真的，不信您闻闻！”

“阿嚏！”

“阿嚏！”

“阿嚏！”

…………

没想到校长对花粉过敏。他开始不停地打喷嚏，打得满脸的鼻涕眼泪。那样子可怜极了。

我数了一下，校长竟然接连打了十六个喷嚏！

太了不起了！我都有点儿崇拜他了。也许当校长都要进行打喷嚏考试吧？我决定回去之后也开始学习打喷嚏，打得比校长还要多，最好能破世界纪录。

“对不起，校长……”甜老师说。

可是，校长眯起眼睛正忙着酝酿下一个喷嚏，根本没工夫听甜老师解释。

“这花……”甜老师突然警觉起来。

“是我在学校里采的！”我很兴奋，“就是插着牌子的花园。”

甜老师看起来像要晕过去了：“你竟然……”

“不就是一束花嘛。”我觉得大人总是大惊小怪的。

“那是我们学校的示范花园哪，明天就要参加全市的优秀花园展示了……”甜老师看起来很激动。

这个消息比喷嚏更让校长难过。他的表情怪怪的，像在极力控制着自己。

“我想起来了……那我给您唱首歌吧！”我终于想到了一个慰问

校长的好主意。

没等校长表态，我就扯起好大嗓门："啦啦啦啦——"声音很高，但不在调上。

"咚咚咚！"

"咚咚咚！"

什么声音？是什么人在为我敲鼓伴奏吗？

甜老师及时捂住了我的大嘴巴，原来是隔壁病房有人在敲墙抗议呢！

校长也顾不上他可怜的鼻子了，压低了声音说："米多同学，你最好还是用语言表达。"

我有点儿沮丧，当好学生真不容易。我已经尽最大努力了，可是，大家好像都不喜欢。

甜老师一边忙着给校长递纸巾，一边问寒问暖的，没工夫管我了。

我觉得很无聊。不过，桌子上的温度计挺好玩的，我偷偷拿在手里，焐一会儿，看着水银柱不停地往上升，然后又使劲儿地甩来甩去，让水银柱降下去。

突然，我的手碰到桌子角，一瞬间温度计飞上了天，又落在地上，摔碎了。我急忙蹲下去捡，匆忙中，手又被划破了。

这回变成大家忙着给我包扎伤口了。

“你还是待在走廊里吧，”甜老师长呼一口气说，“我和校长说几句话。”

这时，我想上厕所。

我找到了厕所，可是在回来的时候却迷路了。为什么医院所有的病房都长得一模一样？所有人都穿着同样的衣服？我大汗淋漓地跑了好几圈。

算了，反正也找不到，就坐下来等吧。

我选择了一个拐角处的窗台坐上去，两腿伸出窗外，看外面的风景。这样，如果甜老师下楼了，也会在外面看到我，我在六楼。

不知过了多久，我看见有消防车开进了医院，校长和甜老师都在下面拼命地冲我招手、叫喊，我仔细听了听，可是怎么也听不清楚。

后来，还是消防员架起了高高的消防梯，把我从窗台上面抱了

下来。

“校长呢?”我一点儿也不明白，为什么他们要来“救”我，因为我一直都好好儿的呀。而且，现在我更关心我们亲爱的校长。

“在急救室呢。”甜老师一脸的汗水，疲惫不堪，“他的心脏病又犯了。”

“可怜的校长。”我很同情他。

医院一点儿也不好玩，怪不得所有人进了医院都想早点儿回家呢。我希望还能再去看望校长，祝他早日康复。

我的秘密日记

4月28日　星期四　下雨了

我当初并不喜欢写日记。因为今天和昨天都一样，没什么特别的地方啊，有什么好记的？可甜老师还是让我们每天都记一篇日记。

甜老师鼓励我们记属于自己的真实的日记，而不要记流水账。可是，真实的日记是不能给别人看的。于是，我买了一本带锁的日记本。

这里面会藏着我的很多秘密，除了我之外谁也不能看。如果别人看到了，就不再是什么秘密了，就等于把秘密公开了，所以，它只属于我一个人。

这是我的秘密日记。

爸爸妈妈对我的日记本很好奇，他们一直都想知道里面的秘密。可是我却一个字也不告诉他们。即使妈妈用一袋牛肉干来交换，我也不答应。

我越这样做，妈妈越好奇；妈妈越好奇，我越不告诉她。

为了安全，我把日记本随身带着。

昨天晚上写完日记以后，我把日记本小心地放在枕头底下，然后睡觉了。可是，今天早上起来的时候，却忘记把它放进书包里了。

上课的时候我才发现，日记本忘带了。

放学以后，我急急忙忙跑进自己的房间，从枕头底下拿出日记本。日记本上面的锁还在，可是，我还是发现有被人动过的痕迹。

我气冲冲地跑去找妈妈。

“你们为什么要偷看我的日记?”我质问他们。

“没有哇……我们没看……”妈妈吞吞吐吐地回答。

“哼，大人还撒谎!”我更生气了。

“你有什么证据证明我们偷看你的日记了?”爸爸还是不承认。

我告诉他们，我在日记的第一页上放了一根头发丝。现在，头发丝不见了。

“头发丝能证明什么呀? 反正我们没看。”妈妈还是不承认。

我很生气，还很伤心，现在我的那些“秘密”不再属于我一个人了。

生活对孩子真是太不公平了！一个孩子说谎就是天大的错误，并且还要挨一顿板子，可是大人就可以说谎吗？大人说谎就不该受到惩罚吗?

我决定让说谎的爸爸妈妈现出原形。

晚上，我又写了一篇日记，然后小心翼翼地用一块大大的不干胶贴在上面。现在，写在上面的字一点儿也看不到了，日记本也大

大方方地放在桌上。

果然，到了半夜时分，爸爸妈妈又开始行动了。

我假装睡着了，其实只是眯着眼睛。只见他们偷偷来到我房间，偷偷翻开日记本，看到了我用不干胶贴得严严实实的那篇日记。

强烈的好奇心没能让他们意识到这是一个圈套。爸爸开始一点儿一点儿费力地去撕上面的不干胶，并且不能留下一丝的痕迹。

半个多小时过去了，爸爸的头发都被汗水浸湿了。

我在被窝里偷偷看着忙碌的爸爸妈妈，差点儿乐出声来。

我的日记终于完整地露出来了，上面写着：

爸妈，你们好笨啊！

作业公司

5月9日　星期一　晨雾像轻纱笼罩着世界

甜老师踮着脚，费劲儿地在黑板上演算着：

45 × 25……

再除以10……

减去11……

加上16……

最后乘以0……

等于……

算式写满了整个黑板。

甜老师脑门儿上渗出了细密的汗珠，就像苹果上的露珠。

甜老师在黑板上写下最后一个数字："0"。

我不由得叹了口气："唉！算了老半天，都白费劲儿了。"

可甜老师要求每个同学把演算的步骤都写在自己的本子上，除此之外，还留了一大堆类似的数学题。

下课铃声响了，我慢吞吞地收拾着书包，那么多的作业，语文、数学、英语……

"唉——"看来晚上的动画片又看不上了。

朱奇奇像个大狗熊似的，慢慢蹭到我身边："我最头疼作文了，你帮我写作文，我帮你写数学怎么样?"

我眼前一亮："还是脑袋大聪明，我就没想到这么聪明的办法!"

不愿意写数学作业的同学写语文作业，不愿意写语文作业的同学写数学作业，这是一个多么好的办法啊。我甚至和最新的科研成果挂钩，用"克隆"的方法可以写无数的作业。如果成立一个作业公司……

说干就干，反正不爱写作业的同学多的是。

我发出了一个公告：

快又好作业公司广而告之

你不爱写作业吗?

你头疼写作文吗?

快又好作业公司帮你忙!

开业期间优惠如下:

数学作业三毛

语文作业五毛

作文一元

保证质量。如出现作业成绩不合格的,退还全kuǎn。

经理:米多

联系地址:四年一班

作业公司出名了,不仅解决了我自己不愿意写作业的问题,而且还小有盈余。不但本班的同学来找我写作业,连别的班的同学也慕名而来。

我很重视作业公司的作业质量和售后服务。有一次,朱奇奇帮别人做数学作业,就是因为"0"这个数字画得不圆,被我罚回去重做。

最惊奇的要数甜老师了。无论如何她也弄不明白，为什么班里同学的作业都是那么整洁而可爱，尤其是我。

这一回，甜老师留了一篇作文，题目是《我的爸爸》。

苏拉的作文是班里最好的，我很想让这篇作文一鸣惊人，就求苏拉帮忙，并且亲自出马，把苏拉的作文工工整整地抄在了作文本上。

评改作文那天，我兴奋地等待着甜老师的赞赏。我从来没有因为作文写得好而受到夸奖，我做梦都渴望尝到自己的作文在大家面前朗读是什么滋味。

“下面，我们有请亲爱的米多同学，来大声朗读他的作文《我的爸爸》。”甜老师果然让我把自己的作文读给大家听。

我的声音因为激动而有些颤抖。

我的爸爸身高一米八，有运动员一样的身材，健壮而有力量。他可以一下子抓起家里的煤气罐，扛到肩膀上。还可以把我高高地举过头顶……

爸爸和妈妈离婚了，我现在每星期才能见到一次爸爸。我希望天天都能见到爸爸……

我的声音越来越小，一直到我自己都念不下去了为止。

“现在，请朱奇奇同学把自己的作文念一下。”甜老师又把作文本递给朱奇奇。

我的爸爸身高一米八，像个运动员一样身材健壮而有力量。他可以一下子举起家里的煤气罐，扛到肩膀上。还可以把我高高地举过头顶……

爸爸和妈妈离婚了，我现在每星期才能见到一次爸爸。我希望天天都能见到爸爸……

朱奇奇的声音也越来越小，一直到他自己都念不下去了为止。

“还有金刚……真奇怪，为什么你们的爸爸都是一个样子？为什么你们的爸爸妈妈都离婚了呢？”甜老师问。

我、朱奇奇和金刚全都耷拉着脑袋，一声不吭。

甜老师接着说：“全班四十五名同学，竟然有二十一名同学都是同一个爸爸，而且爸爸妈妈都离婚了。这个爸爸到底是谁的爸爸呢？”

甜老师要求所有抄袭苏拉作文的同学，把作文拿回家给爸爸妈妈签字。

不知道其他二十位没离婚的爸爸妈妈看完这篇作文会怎么想。反正第二天上学的时候，我坚决要求站在墙角听课。因为我的屁股已经疼得坐不了椅子了！

至于“好又快作业公司”，已宣告破产。

告 状 记

5月24日　星期二　太阳明晃晃地刺眼睛

王天天是我们班出了名的“告状精”，大家都很讨厌他。

昨天我们商量了好久，终于想到了一个办法来对付王天天。

今天一大早，我走进教室，在王天天面前晃呀晃的，然后突然大叫：“哎呀，今天学校要检查，我忘戴红领巾了。”再看王天天，早就不见了。

不一会儿，甜老师走进教室，直接对我说：“米多……”

“到。”我大声回答，飞快地从衣服领子里面翻出红领巾。

我看到王天天嘟着嘴，一副倒霉的样子，差点儿憋不住乐出声来。

上语文课的时候，朱奇奇低着头，不停地看书桌，好像在偷偷看什么书。

“老师，朱奇奇在看漫画书！”王天天突然站起来，大声说。

甜老师走下讲台，站到朱奇奇面前。朱奇奇在全班同学的注视下，将包着彩纸的语文书从书桌里拿出来。

“我明明……”王天天嘟囔着。

朱奇奇朝王天天做了个鬼脸，坐下了。

下课了，金刚走到我面前，踩了我一脚。

“你为什么踩我脚?”我问道。

“我是故意的！”金刚挑衅道。

我一头撞向金刚，我们打了起来。

我用眼角的余光看到王天天跑出了教室。

等到甜老师跟着王天天气喘吁吁地来到教室时，我和金刚正在一起友好地画画呢。

"刚才他们明明在打架！"王天天快要哭出来了。

甜老师怀疑地看了看金刚，又看了看我，然后瞪了王天天一眼走了。

再下课的时候，朱奇奇和金刚又打了起来，搞得满地都是垃圾。

等到王天天带着甜老师再次出现时，朱奇奇和金刚正手拉着手冲着王天天笑呢，地上也是干干净净的。

第三堂下课的时候，刘坚强用棍子把我的头打破了，血流了一脸……

结果还是一样，王天天和甜老师看到的是我们正在研究数学题。

"天哪，这到底是怎么回事呀？"王天天晕头转向了。

他不知道，我头上的血其实只是番茄酱，酸酸甜甜的，很好吃呢。

…………

整整一天，甜老师被王天天来来回回地折腾了无数次。

后来，我们听到甜老师对王天天很严厉地说："不许再告状！"走了几步，好像不放心似的补充道，"无论发生什么事！"

"万岁！"等甜老师走后，我们兴奋得大叫。结果，朱奇奇扔出去的文具盒把教室的玻璃给打碎了。我们回头看王天天，他好像什么也没看到。

突然，他趴在桌子上大声地哭了起来。

糟糕！"告状精"神经了！

盖脚印行动

6月7日　星期二　晚霞把天边染出金色

一连几天学校都在粉刷墙壁。

甜老师警告我们："谁都不许影响工人师傅的工作，更不能做捣乱分子。"

甜老师可真厉害！她能知道我心里在想些什么。我一直在心里嘀咕，怎样才能偷一个刷子，自己试着刷一刷呢？

今天早上，我一走进教学楼就失望了，刷墙的想法像肥皂泡一样破灭了。走廊里的每一块墙壁都是雪白雪白的，看来我们再也没有机会刷墙了。真没意思！

这墙壁白得太不真实了，就像假的一样，我试着用手摸了一下，真滑呀！

哎呀，糟糕，印上了一个黑手印！

“米多，你完蛋了！看甜老师怎么收拾你！”朱奇奇幸灾乐祸地说。

“凭什么说是我的手印哪?”我心生一计，“你哪只眼睛看到是我的手印了?”

“喂，你怎么不认账，明明就是你按上去的！”朱奇奇一边说，一边伸出手在雪白的墙上按了一下，“你刚才就是这样按的……”

现在，墙上又多了一个黑手印！

“哈哈，朱奇奇，这下子你也跑不掉了！”我幸灾乐祸道。

正说着，王天天凑了过来：“好啊，你们两个居然往墙上按手印，我这就告诉老师去！”

这个告状精！

我和朱奇奇抓住王天天的两个胳膊，不让他去甜老师的办公室。王天天拼命地挣扎，一下子摔了个屁股蹲儿，他高高扬起的双脚在墙上印了两个大鞋印！

王天天一骨碌爬起来正要发火，一眼看到墙上的大鞋印，立刻就傻了眼，刚才的威风也不见了。

这可怎么办哪？王天天挠着头想了半天。他现在不可能再去告状了，要告就等于告自己。最后我们达成了“保密联盟”，谁也不把谁说出去！

大家为了表示对这件事的重视，还认真地拉了钩。拉钩上吊一百年不许变，谁变谁是小狗！

“你的大飞脚真厉害，鞋印比我和朱奇奇的手印还高。”

听我这么一说，王天天很得意。

朱奇奇不服气了：“那有什么，我要是踢的话，肯定比他踢得高！”

王天天撇了撇嘴，一脸的不屑：“朱奇奇，我看你是吹得比踢得高。”

“不信就比比！”

“比比就比比！”

于是，朱奇奇和王天天两人上蹿下跳，对着白墙一脚接一脚地踹过去。

看他们踹得这么起劲儿，我当然也不能服输。

不一会儿工夫，白墙上印满了大鞋印！

上课铃声响了，我们恋恋不舍地走进教室。

过了一会儿，甜老师气冲冲地走进教室："谁在走廊的墙上踩了那么多脚印？"

我冲着朱奇奇和王天天偷偷钩了下手指，提醒他们一定要保密。

甜老师看半天也没人承认，气鼓鼓地说："不怕你们不说，我有证据！"

证据？哪里会有什么证据，肯定是在蒙我们！我们可不上当！

朱奇奇捂着嘴，差点儿就得意地笑出声来。

"你们，把鞋脱下来！"

脱鞋干吗？

全班同学都吃惊地看着甜老师。

"每个人鞋底的图案都是不一样的，我就不信找不出这个做坏事的家伙！现在，是你们自己承认啊，还是等我把你们揪出来？"甜老师叉着腰，严厉地问道。

原来，证据就在我们的脚底下，想赖也赖不掉了。我们三个人乖乖地站起来，等着受罚。

“放学后你们不许回家，把弄脏的墙粉刷一遍！”甜老师说。

我不敢相信自己的耳朵，我真的可以刷墙了？

“太棒了！”我大叫道。

金刚很后悔没参加我们的“盖脚印行动”，他也很想被罚刷墙。

汤姆不是一只猫

6月17日　星期五　风睡着了，世界静悄悄的

最近，学校里来了好多美国小学生，他们是来中国访问的。学校会安排他们住在我们家里，吃住在一起，和我们一起上学。

妈妈很希望能邀请一名美国小学生住在我们家，因为妈妈说美国小学生讲英语，他住在我们家可以帮助我提高英语成绩。于是，妈妈跑到学校找甜老师，说了一大堆甜蜜的话，终于让甜老师同意了。

我觉得妈妈应该去做推销员，因为她总有一大堆让人拒绝不了的理由。

就这样，汤姆来到了我家。

这个叫汤姆的胖胖的男生肯定和那只叫汤姆的猫是亲戚，要不

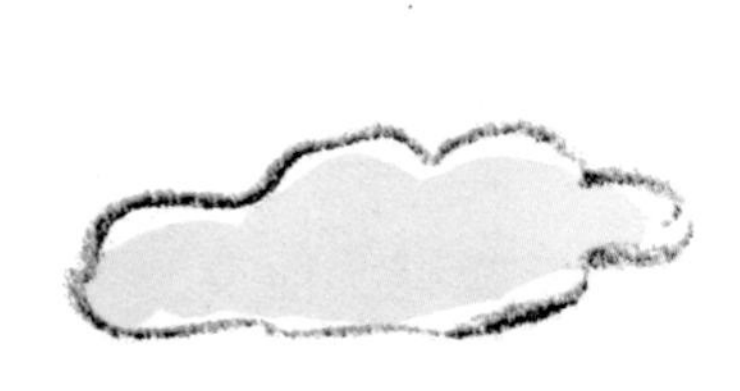

怎么会像追赶老鼠杰瑞时一样，横冲直撞地闯进来，一头撞到妈妈身上?

“啊！啊！发生什么事了?”妈妈吓得尖叫起来。

待看到一头金色的鬈发和一双蓝色的眼睛后，妈妈的脸上立刻堆满了笑容。可我却有种不祥的预感，但又很难说清楚是什么。

爸爸跟在汤姆身后，费力地拎着一只大大的旅行袋：“这起码有三十公斤！里面装着什么鬼东西!”

“七——的!”汤姆不好意思地说。

什么是“七的”?

后来，我们终于猜出来了，这个“七的”是“吃的”。

“真有趣，一个美食家!”妈妈尽量让笑容看起来和蔼可亲。

汤姆不客气地一屁股坐在沙发上，连鞋都没有脱。妈妈刚擦过的地板上留下了一行很清晰的鞋印。妈妈命令我拿拖鞋给他换上。

我不情愿地把拖鞋递给汤姆。可是他不接拖鞋，直接把鞋子脱下来，光着两只大脚丫，还把脚丫子跷在沙发上。

他一边看电视一边嗑瓜子。瓜子皮儿掉得他满身都是，他毫不犹豫地拍拍衣服，让它们散落在沙发缝里、地毯上。

我好奇地偷看妈妈的反应。如果换成我这样做，妈妈肯定会跳着脚骂我。但是现在，她居然仍保持着微笑，虽然这种微笑显得有点儿僵硬。看到妈妈这样的表情，我就像大热天喝了一大罐冰镇汽水一样，舒服极了。

妈妈说："汤姆，别吃瓜子了，我们该吃饭了。"

不知道汤姆到底是听懂妈妈的话了，还是鼻子已经先闻到厨房里传出来的香味了，反正，他像豹子一样冲进餐厅，一屁股坐在椅子上。他对筷子很好奇，先是拿在手里摆弄了一会儿，接着试图用它来夹菜，但夹了几次都掉下来了。于是，他索性用手从盘子里抓菜往嘴里塞，就像几天几夜没吃过饭一样。

我还注意到，他的手指甲里全都是泥，估计两只手也干净不到哪儿去。这对于爱干净的妈妈来说，真是一种天大的折磨！

“你的手！”妈妈皱着眉头指着汤姆的手。

汤姆十分仔细地查看自己的双手，当发现十根手指都在的时候，他显得非常满意。

“它们太脏了！”妈妈有些责备地说，脸上的笑容已经彻底消失了。

这时候，汤姆已经对手指失去了兴趣，转向了盘子里的包子。他用黑糊糊的手抓起一个迅速塞进嘴里。我听到“扑哧”一声，紧接着他发出一声尖叫：“啊——”

包子太烫了，汤姆把嘴里的包子吐在了餐桌上，一边吐一边大叫。

妈妈拿手拍着额头，脸上的表情痛苦极了！

现在我知道了，我喜欢汤姆！

汤姆住我房间，当他打开那个大大的旅行袋时，我简直不敢相信自己的眼睛，因为里面全都是各种各样的小零食。怪不得他那么胖呢。

他很大方地请我和他一起吃。虽然我们已经吃过晚饭了，而且

吃得很饱，不过，我们还是分享了一袋爆米花。

他好像对什么都很好奇，在我房间的各个角落翻来找去。

我把所有的宝贝都贡献出来，变形金刚、闪光悠悠球、植物大战僵尸卡片……

妈妈走进房间的时候发出惨叫。

现在，妈妈得揪着两个人的耳朵去卫生间洗澡，还很担心地每隔五分钟在外面敲一下门。而我和汤姆在浴室里开心地打水仗、玩海盗船游戏，一直玩到妈妈拼命地敲门，差点儿就把门撞破闯进来为止。

妈妈已经是第五次闯进房间警告我们必须睡觉了。而我和汤姆正在玩枕头大战，一只飞舞着的枕头一下子击中了妈妈的头……

第二天早上，妈妈的大嗓门准时在六点钟响起来，可是，对于汤姆来说，一点儿也不管用。直到要上学的最后一刻，汤姆才迷迷糊糊地穿好衣服。等爸爸、我和汤姆三个人气喘吁吁地跑进学校时，上课的铃声刚好响起。

爸爸说如果他每天都这样跑，肯定会成为第二个刘翔。

“为什么会这样?”妈妈的脸上阴云密布。她的面壁思过、罚站、不许吃饭……所有的武器统统都用不上。因为汤姆说，在美国不能体罚孩子，要不就会被警察抓去坐牢。现在，妈妈只能自己和自己生气，连爸爸说话也小心翼翼的，生怕哪句话得罪了她。虽然，汤姆是妈妈努力“争取”来的。

本来妈妈还寄希望于汤姆的英语，可是，汤姆自从到我家后根本就不讲英语，一个单词也不讲，只是一直在讲他那蹩脚的汉语。

我和汤姆玩得都很开心。连我的宠物狗“一塌糊涂”也喜欢上了汤姆。因为汤姆很大方地把零食分给“一塌糊涂”吃。

妈妈的唠叨已经越来越少了，可能是她已经逐渐适应了汤姆。她现在已经锻炼成了“武林高手”，闭着眼睛都能挡住我和汤姆扔过来的抱垫；一打开冰箱就知道丢了几根香肠，还知道被谁偷吃掉的；一进我房间就知道谁的臭脚丫子没洗……

妈妈还发明了一个“独门招法”来对付我和汤姆，就是用美味来做条件要求我们乖乖洗臭袜子、按时起床、老老实实洗澡、把屋子整理干净……

一个月的时间转眼就过去了，汤姆终于要离开了。

妈妈给汤姆准备的“七的”足足有他带来的两倍多。真不敢想象，汤姆怎么把它们背到美国去。

“这是中国的麻花、大白兔奶糖、萨其马……”妈妈一边装东西一边眼泪汪汪的。

我把最喜欢的奥特曼送给了汤姆。我只难过了五秒钟，就和汤姆一起嘻嘻哈哈地玩起了赛车。

送走了汤姆，妈妈一屁股坐在椅子上，双手按着额头说：“唉，多亏只生了一个！要不我真就死掉了……”

书桌的功能

7月4日　星期一　蝉儿拼命地叫着热啊热

“书桌除了能装书包、书本、文具，还能装什么?”

下课的时候，王天天故作神秘地问大家。

“水、零食!”朱奇奇说。

“毛毛虫、小石头、树叶子……”金刚说。

“空气。”我说。

王天天故意吊我们胃口：“还有一个你们想不到的功能。”

“什么什么什么?”刘坚强拼命地把脑袋挤进来。

“还能装脑袋!”王天天说。

我们大家都不相信，书桌怎么会装得下脑袋呢? 这是不可能的事，脑袋那么宽、书桌口那么窄，怎么能装得进去呢?

“真的真的！”王天天生怕大家不信，一个劲儿强调着。

我们还没来得及追问他，上课铃响了。

“把书翻到第132页……”甜老师说道。

为什么书桌能装下脑袋呢？

“今天我们讲……”

脑袋肯定装不进去。

“和我一起读……”

也许书桌真的能装得下脑袋？

“我们现在思考一下……”

到底书桌能不能装下脑袋呢？现在，我的脑海里全都是关于书桌和脑袋的问题，赶也

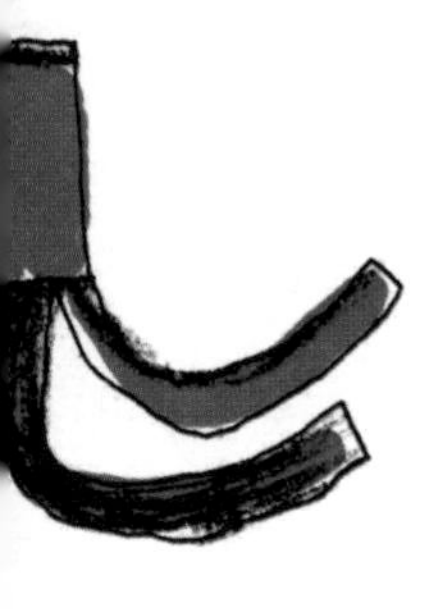

赶不跑。

我低下头，上上下下地打量着书桌口，然后用手比画了一下，只有一个半手掌那么宽。我的脑袋呢？我用手量了量，有两个半手掌那么宽呢。我尝试着把头伸进课桌，一点一点地……

我的脑袋真的可以装进书桌里！我兴奋得差点儿叫出声来。可是，为什么我的头拔不出来了呢？糟糕，我的头卡住了！

“救命啊！”我大叫。

甜老师急急忙忙来到我身边。她可能第一次碰到这样的事情，所以胡乱地挥舞着双手，却不知道该干点儿什么。

“我们得把米多的脑袋拔出来。”金刚十分镇定。

“对！我们得把米多的脑袋拔出来！”甜老师像刚刚睡醒一样，跑到讲台前，不知道要去

找什么。这都是我后来才知道的。

找了老半天，她翻出来一大堆东西：书、教鞭、黑板擦……好像没有一样东西能用得上。

“我们像拔萝卜一样把米多的脑袋拔出来吧!”朱奇奇出主意。

“不行不行!”我使劲儿地挥着手，“疼!”

“给他的脑袋涂上肥皂……”苏拉说，“我妈妈的戒指摘不下来的时候，就是用……”

实践证明，这种方法对手指起作用，对脑袋不好使。可怜我的脑袋全都是肥皂泡泡。而且，书桌里面黑漆漆的，味道也不好闻。因为我的鞋垫放在里面了。我可不想让脑袋继续和臭鞋垫待在一起。

谁能帮帮我呢?

甜老师急得快哭了，她跑着去找教导主任和校长。

教导主任和校长很快就赶来了，两个人像拔河一样，使劲儿用手掰课桌。校长累得满脸大汗，汗水一直滴到我的脖子里，痒痒的。

显然，他们的力气还是不够大，因为我的脑袋仍卡在书桌里。

最后，甜老师出主意说，应该把课桌的桌面拆开。

很快，学校的后勤师傅带着锤子、锯子、螺丝刀赶来了。

好一番折腾后，我的脑袋终于被解放了！自由真好！

下课铃响了，我第一个冲出教室，我要去厕所！

等回到教室的时候，我惊呆了！

我看到金刚、朱奇奇、刘坚强的脑袋都卡在书桌里了……

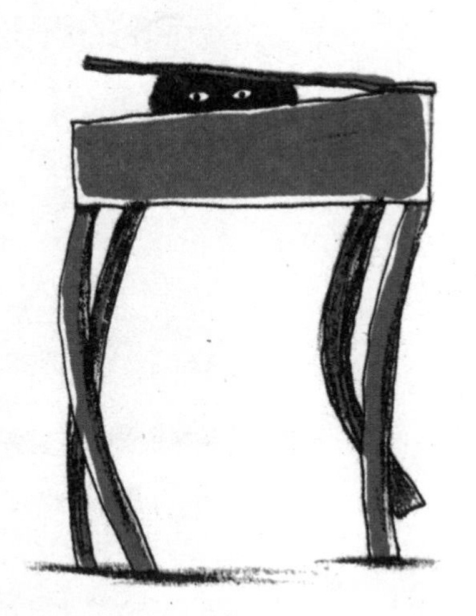

提　问

7月14日　星期四　天闷闷的，要下雨了

暑假前，学校邀请同学们都喜欢的黄宇来签名售书。

黄宇是一个作家，他写了很多有趣的书，书里的故事就发生在我们身边。有时候，我们会觉得他是一个奸细，一直潜伏在我们身边，专门偷我们的故事，然后写成书。

别看有的书很厚，像块大砖头，但我们会连续几个晚上偷偷趴在被窝里读完。我喜欢他书里的人物，一个叫朱尔多的男孩，因为长着一对大耳朵，所以又被人们称做“猪耳朵”。

朱尔多的故事可真是太好玩儿了，连苏拉和卜一萌都喜欢，争着抢着说，书里边那个叫香香果的女孩就是她们当中的一个。

甜老师说黄宇讲完课后，会留一段自由提问的时间，所以我们得认真想一想，提什么问题。这几天下课后我们不再出去疯跑了，都凑在一起专心地想我们的问题。

“我要问他，为什么他会写书，而我不会写呢?”朱奇奇说。

“这个问题真无聊，因为他是作家，而你不是。”金刚非常不屑地说，“还不如问他地球什么时候毁灭呢。”

“你以为他是预言家啊?”我也不认为这是个好问题。

反正我已经准备了无数个问题，光写问题的纸就用掉了十张。到时候，我随便提哪个问题都行。

终于等到黄宇来签名售书的这一天，我们兴冲冲地在操场上集合。可是，甜老师却告诉我们，因为人太多，如果每个人都提问题的话，黄宇到第二天也回答不完，所以一个班级只能挑选一名同学提问，我们班就指定由卜一萌提问。

这太不公平了！每个人都有提问题的权力，因为我们都喜欢黄宇。虽然我和其他人一样，有一万个不满意，可是一点儿办法也没有。

黄宇终于来了。原来，他没有一脸的胡子，也没戴眼镜，“他”竟然是个女的!

奇怪，为什么我们会以为黄宇是个男的呢？就因为“黄宇”这个奇怪的名字？对呀，谁说黄宇就不能是女的呢？而且她的脸笑起来像朵向日葵。她的嘴很大，牙齿也不太白，可她的声音很好听，跟脆生生的水萝卜似的……

黄宇讲了好多有趣的故事，有书里的故事，有她小时候的故事，还有她听来的故事……我们的肚子都笑疼了。真担心，如果她这么一直讲下去，我们都该变成大嘴蛤蟆了。

等她讲完了，就到了提问的环节。

可黄宇却突然说：“指定一位同学提问不太好，每个孩子都有提问的权利。”

太棒了！我们热烈地鼓掌。

“哗啦啦——”大家举起来的手臂像树林一样。为了让黄宇看到自己，每个人都拼命地叫着：“我！我！我！”

本来大家都坐在地上，现在已经有人站起来了。为了站得更高，我像猴子一样飞快地爬到了旁边的树上。

还好，没有其他人爬树，要不我会一直往上爬，爬到树梢上。我爬得太高了，这下子黄宇想看不到我都不行，因为我抱不

住树，就快掉下来了！

现在，从我嘴里喊出来的不是“我！我！我!”而是“救命啊……”

大家七手八脚地把我从树上“救”下来。黄宇吓得脸都白了，她说这堂课让她太激动了，激动得要患心脏病了。

等大家安静下来之后，黄宇邀请我到讲台上，坐在她身边。

我很兴奋。第一次这么近距离看我的偶像，我的心激动得扑通扑通直跳。恐怕我也要得心脏病了吧。

“你叫什么名字?”黄宇笑呵呵地问我。

“米多。”我响亮地回答。

“好的，你想问什么问题?”黄宇把话筒递给我。

“我……我……”糟糕，我太激动了，激动

得把所有问题都忘记了。经历了爬树的风波，写满问题的十张纸也不知道哪儿去了。

问题，问题，到底我想问什么问题来着?

“你……你……”我磕磕巴巴，声音冒出来的时候连我自己都吓了一跳，“你叫……嗯，你叫什么名字?”

“哈哈哈——”全校同学都笑起来了。

我知道，这可能是世界上最愚蠢的问题。